Vieques:
Crónicas desde la desobediencia

La Grieta

Gazir Sued

Vieques:
Crónicas desde la desobediencia

La Grieta

La Grieta
Calle Lirio #495 Mansiones de Río Piedras
San Juan, Puerto Rico - 00926
Tel. 787-226-0212

Correo electrónico: gazirsued@yahoo.com
gazirsued@gmail.com
http://www.facebook.com/gazir

3ra edición con adiciones (2013)

ISBN 978-0-9763039-2-3

Para la preparación de este libro quiero agradecer la colaboración de Llaima Sanfiorenzo, Freddie Marrero, Gamaliel Pagán, Pedro Ernesto Oliveras y Jalil Sued. La mayor parte de las fotografías seleccionadas fueron tomadas por Mía Noemí Sued, Héctor Quiñónez, Josian Martínez, Ricardo Morales, Gazir Sued, Freddie Marrero, Juan Antonio Casañas, Iván Broida, Llaima Sanfiorenzo, Albanaí Valentín, Rolando Silva (Gufi), Carlos Pérez, Humberto Trias, Alina Luciano y tomadas de los periódicos Claridad, El Nuevo Día, El Star, El Vocero, Primera Hora, Prensa Asociada y de www.viequeslibre.org.

A nuestros prisioneros políticos
Y a quienes como ellos todavía hoy resisten,
Porque son la esperanza viva de esta lucha...

VIEQUES:
Crónicas desde la desobediencia

INDICE

Parte I
Vieques: 1940-1999

Parte II
La nueva resistencia

Parte III

Parte IV
Campamento del Colectivo de Resistencia Amig@s de Vieques

Parte V
Borrando fronteras

Parte VI
4 de mayo del 2000
Día del Desalojo

Parte VII
Jinetes por la Paz
¡Entramos y salimos cuando queramos!

Parte VIII
Cartas de finanzas

Parte IX
Jinetes por la Paz
¡Volvimos a entrar!

Parte X
Primera orden de arrestos, encarcelamientos y defensas

Parte XI
Educando por la Paz, no pa' la Guerra

Parte XII
Ampliando horizontes

Parte XIII
A desalambrar

Parte XIV
Tito Kayak: guerrero del MAR

Parte XV
Se intensifica la represión federal

Parte XVI
Hablan "los encapuchados"

Parte XVII
Alternativas de protesta, resistencia y lucha

Parte XVIII

Prólogo

"Caminante no hay camino,
se hace camino al andar..."
J.A.Machado

...y en la ardua tarea de ir haciendo caminos, detenerse a reflexionar a medio andar, no es tarea fácil. Sobre todo cuando esta jornada de lucha está muy distante de un final. Esta compilación de escritos y fotografías son, más que historias para recordar, experiencias aún vivas de un proceso distante de finalizar. En su conjunto y para el porvenir, pretende ser una aportación a las luchas presentes y venideras, a la memoria colectiva de nuestro pueblo, a las historias de sus resistencias, no para ser contadas como cuentos sino para animar esperanzas libertarias; para incitar las imaginaciones nuevas a seguir inventando modos de actuar desde el constante ir haciendo. En fin, este libro no tiene otra pretensión que servir de modelo para idear nuevas acciones y, sobre todo, convertirse, ante la mirada del lector comprometido y atento, en pretexto para continuar...

La lucha por liberar a Vieques del sometimiento de la Marina de Guerra norteamericana se ha librado en múltiples frentes: desde las zonas restringidas, el campo de tiro y bombardeo, los tribunales y la cárcel federal, hasta las escuelas y las universidades, los centros de trabajo, en cada rincón, en cada esquina, en la calle. No creo que haya habido iglesia o misa alguna donde Vieques no haya sonado, ni cantor comprometido que no la haya convertido en tema de alguna canción; ni programa de radio o televisión que no haya, por lo menos, insinuado su solidaridad con esta causa. Estoy incluso convencido que no queda barra alguna en nuestra patria donde no haya habido quienes entusiasmados brindasen por ella. Artistas, atletas, estudiantes, trabajadores, religiosos, políticos, presos, profesionales y, sobre todo, la gente común y corriente, sin rostro afamado, sin edad ni género, sin color de piel o con todo ello, con sus diferencias irreconciliables, con sus paquetes de ideologías y las cargas de sus creencias, de sus convicciones, con sus genuinos temores y prejuicios, todos han comentado alguna vez el tema. Me atrevo a apostar lo que sea a que han sido, en su mayoría, regadas y dispersas, solidaridades comprometidas con esta lucha. Por vez primera en la historia de esta patria algo se asemeja a un consenso entre los más diversos sectores que la habitan: la paz para Vieques, el cese incondicional de los bombardeos y la salida de la Marina de guerra.

Pero muchas cosas, sin duda, quedarán olvidadas y muchas, por prudencia, todavía no pueden ser contadas. Pero es nuestra lucha, lucha de pueblo, y su historia, nuestras historias. Las contaremos, a nuestras maneras, quienes hemos sido parte de ellas...

***

Nota editorial

La primera edición de esta obra se publicó en verano de 2001, y en 2006 se reimprimió por pedido del Departamento de Educación de Puerto Rico. Esta es la tercera edición, y se conserva intacta por su valor documental histórico. No obstante, le fue añadida una parte adicional que cubre el periodo posterior a la salida de la Marina de Guerra de la isla de Vieques hasta 2013 y evidencia el estado de situación actual… Por lo que sabemos, todavía queda demasiado por hacer y, más allá de las ilusiones de una victoria, la lucha continúa…

Vieques: 1940-1999

Durante la década de los '40, con la Segunda Guerra Mundial como pretexto, la Marina de Guerra Norteamericana ocupó más de dos terceras partes de la isla de Vieques. Desde entonces, nuestra hermana isla ha sufrido el embate de incontables prácticas bélicas.

...anfibios militares desembarcando en las playas de Vieques.

Bieké es quienes luchan por ella

Desde entonces, los pescadores viequenses han salido al paso a bloquear los barcos militares.

Carlos Zenón, pescador y luchador viequense, todavía hoy sigue la resistencia.

LCM8-1
PR 363-G

LCM8-1
PR 363-G

Asumiendo los riesgos que sus resistencias conllevan, los pescadores se han hecho dar a respetar, logrando detener las maniobras militares en incontables ocasiones.

Durante la década de los '70 las resistencias contra la Marina de guerra norteamericana se caracterizaron por abiertas confrontaciones e intervenciones violentas por parte de las fuerzas militares.

Ángel Rodríguez Cristóbal, líder de la resistencia contra la Marina en Vieques, fue arrestado y encarcelado por participar en los actos de desobediencia civil. Mientras cumplía su condena en la prisión federal de Tallahassee, fue asesinado.

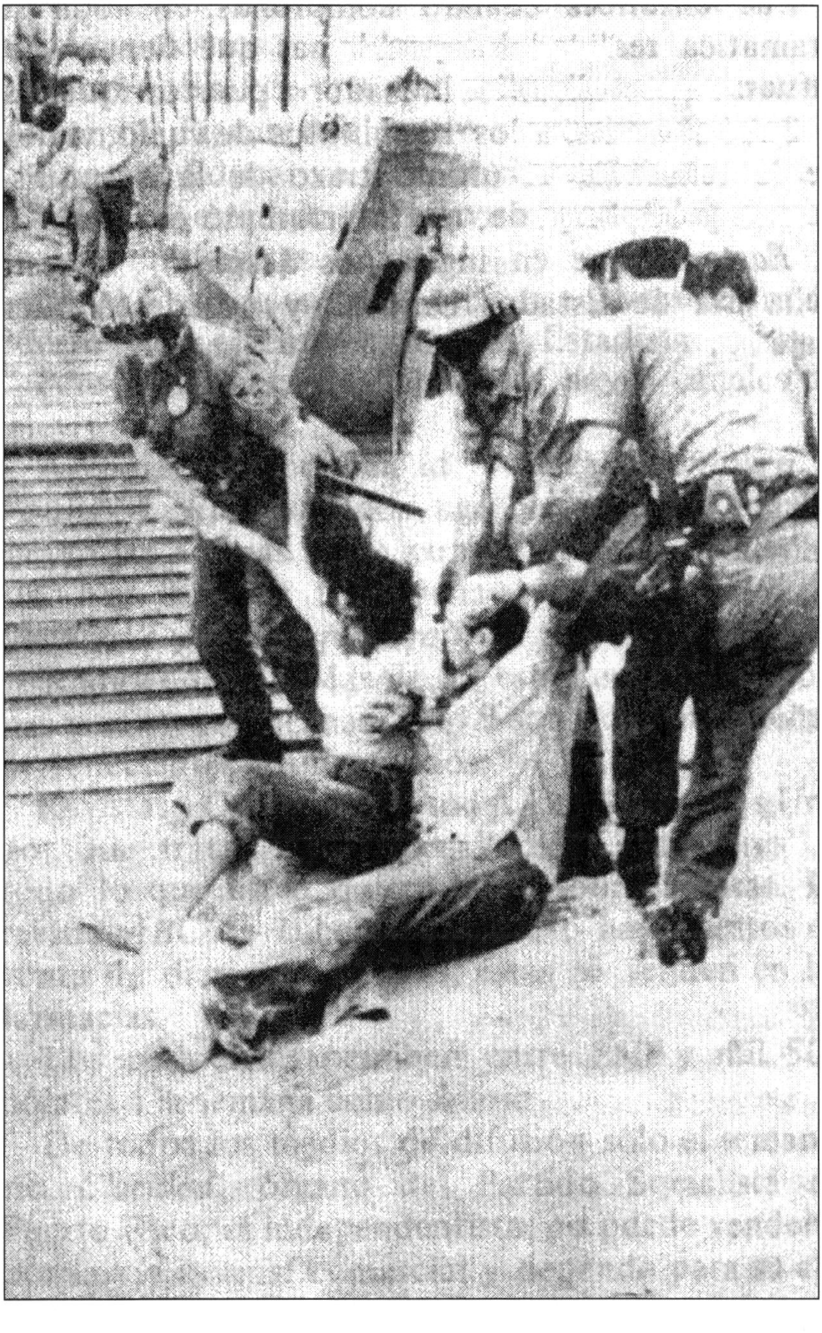

Ismael Guadalupe, maestro y líder de la resistencia antimilitarista en Vieques fue uno de los veintiún arrestados y sentenciados a cárcel en 1979. Veinte años después, tras una vida de lucha, fue vuelto a aprisionar.

Carmelo Félix Mata, luchador viequense y rescatador de tierras, muestra artefactos lanzados por la Marina que causaron un incendio en su propiedad en junio del 2001.

Gran parte de la población civil en la Isla Nena habita terrenos que fueron rescatados nuevamente por los viequenses. Tras incontables intentos de desalojo por parte de la fuerza militar y fracasados esfuerzos judiciales por amedrentar y hacer retractarse a los residentes, hoy muchas de estas tierras ya han sido devueltas al gobierno de Puerto Rico. Sin embargo, muchas familias que han vivido en ellas por más de veinticinco años aún viven en condiciones de extrema pobreza, sin energía eléctrica ni agua potable.

Impacto ecológico y social

La devastación ecológica ha sido sólo una de las consecuencias más terribles de los incesantes bombardeos. Gran parte de los daños ambientales ocasionados por la Marina de Guerra Norteamericana son irreversibles. Ya apenas quedan reservas naturales de agua y el porvenir no promete más que incertidumbre...

Toda el área se ha convertido en un inmenso cementerio de basura militar.

Los fragmentos de las bombas, la chatarra militar y demás municiones explosivas, vivas o detonadas, se van desintegrando y liberando compuestos químicos y metales que contaminan los suelos.

Otro efecto devastador es la destrucción de las lagunas y los manglares, así como la deforestación.

Los desperdicios tóxicos llegan a las costas y a los acuíferos ya sea directamente por los bombardeos o por la contaminación de los suelos.

La Marina utiliza los mares de Vieques como vertederos, contaminando y destruyendo la vida marina y los arrecifes de coral.

En los mares de Vieques se han encontrado barriles como estos, con desperdicios tóxicos. Aunque se han realizado estudios científicos, al día de hoy se desconocen los resultados del contenido exacto de los mismos.

En la década de los '60, apareció una bomba atómica sin detonar en las aguas de Vieques. No fue sino hasta el pasado año que al fin la Marina lo admitió. Otros tipos de bombas activas mantienen infectadas y en constante peligro los mares en la Isla Nena.

Cortada por una hélice de una barcaza militar apareció esta pequeña ballena en una de las playas de Vieques. Otras especies en peligro de extinción, como el tinglar y el pelícano pardo, están amenazadas constantemente por los bombardeos.

Durante las prácticas bélicas la Marina de guerra retiene el 80% de los mares, forzando a los pescadores a moverse a lejanas aguas, como a San Tomás o Santa Cruz.

Además del contenido de las bombas, tanto las balas de uranio hasta la pintura de los tanques contienen materiales altamente tóxicos y mortales. En Vieques la tasa de mortandad es 53% más alta que en la Isla Grande y la incidencia de cáncer 27% mayor que en el resto de Puerto Rico.

Más de 23 mil bombas son lanzadas cada año. Incontables son las que caen y permanecen en tanto en tierra como en mar sin detonar. Otras han caído millas fuera del campo de bombardeo, incluso en las cercanías de las comunidades.

...y, por si no bastara, la Marina de guerra norteamericana alquila las tierras de Vieques a ejércitos de otros países para que realicen allí sus prácticas bélicas. Por este negocio la Marina gana aproximadamente $80 millones al año.

Como parte de las maniobras rutinarias de la Marina, Vieques, una vez más, estaba siendo utilizada como blanco de tiro. Era un mayo de 1999.

\

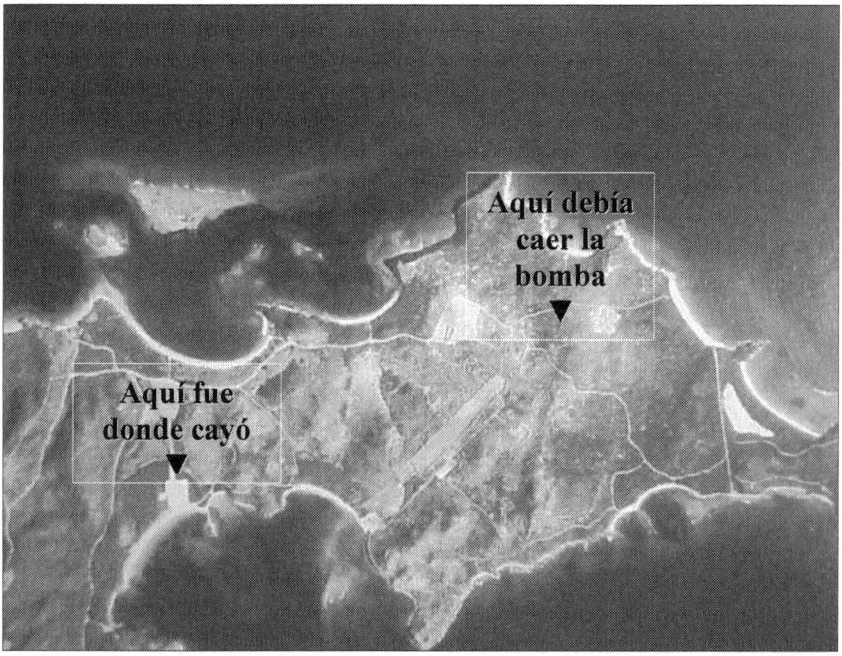

...sólo que esta vez el tiro no cayó donde debía caer.

...y David Sanes nmurió. Una inmensa cruz fue levantada en el monte que queda frente al punto de observación de la Marina, donde Sanes murió.

La mañana del 19 de abril de 1999 fue una más de luto para el pueblo viequense. David Sanes, mientras trabajaba en el punto de observación de la Marina, localizado en el área de tiro al este de la isla, murió al caer una bomba por error durante las maniobras. La noticia se regó como pólvora. Un gran sentimiento de indignación se generalizó enseguida y la estela de resentimientos que dejó la muerte de David colmó la tolerancia de gran parte del pueblo puertorriqueño que, desde entonces, afirmaría su oposición a la presencia militar en la Isla de Vieques como acto de afirmación de la vida. La muerte de David sería la gota que colmaría la copa. La seguridad de la vida en Vieques se convertiría en alta prioridad para amplios y diversos sectores de este pueblo. ¡Paz para Vieques! y ¡Ni una bomba más! serían las consignas que convocarían la nueva unidad, en una lucha que llevaba ya sesenta años. Esta vez se daría hasta vencer...

21 de abril de 1999
Monte David: nace la nueva resistencia

Al día siguiente de la muerte de David Sanes por un bombazo de la Marina, un grupo de viequenses, entre los que se encontraban Ismael Guadalupe, Geigel Rosa, Héctor y Prieto Ventura, decidió penetrar al área del fatal incidente. El 21 de abril tendría lugar el primer acto de desobediencia civil en Vieques desde los arrestos de los 21, hacía ya veinte años. A ellos se les sumaría enseguida Alberto de Jesús (Tito Kayak) quien, al ver con sus propios ojos la terrible devastación ecológica del área, decidió quedarse hasta que la Marina por fin se fuera. Pablo Connely, Omar, Sombra y los hermanos Zenón, hijos del reconocido pescador y luchador viequense, se sumaron inmediatamente. Ese mismo día una nueva historia de resistencia y lucha en Vieques comenzaría a ser escrita y, sobre todo, actuada...

Un viejo tanque militar fue habilitado como despensa de provisiones y como soporte de un nuevo campamento. Según pasaban los días la noticia de la nueva resistencia se había regado como pólvora. Cada día llegaba más y más gente, desafiando las restricciones militares y decidida a darle continuidad a la lucha.

Cano fue de los primeros en darle forma y continuidad al campamento, ayudando en la organización y habilitación del lugar así como animando a todos los que se acercaban. Como pocos, dejó su trabajo y su hogar para hacerse de un nuevo hogar trabajando por la causa viequense.

Algunos se quedaban en casetas o a la intemperie, sin saber cuando llegaría el momento de la intervención militar.

Grisel Surillo, estudiante universitaria, dejó sus estudios ese año para quedarse permanente-mente en la zona de tiro.

Meses más tarde supimos que la zona donde está este tanque, que por tanto tiempo sirvió de despensa para los alimentos y de hogar, era uno de los puntos de más radioactividad en todo Vieques.

El área se fue conociendo cada vez mejor, se exploraron nuevos caminos y en poco tiempo los campamentos se multiplicaron, expandiéndose la resistencia hacia el noreste de la isla.

Fue aquí, en Monte David, donde la nueva resistencia nació...

...pero apenas pasaron unas semanas cuando comprendimos que no bastaba estar allí, que era preciso fortalecer el movimiento, ganar más apoyo y, sobre todo, fortalecer la resistencia. Nuestras primeras diligencias fueron a través de la música.

Jessica Cristina y Gamaliel Pagán en el primer concierto de solidaridad con la lucha en Vieques que organizamos en mayo de 1999.

Un Canto Urgente para Vieques
Conferencia de Prensa

Jueves, 20 de mayo de 1999
Pabellón de la Paz, San Juan

A todo el pueblo de Puerto Rico y en especial a la comunidad viequense:

Sabemos que la música es el alma de los pueblos, y que un pueblo sin música es un pueblo muerto. Por eso toda música, como parte de tantas manifestaciones del Arte, sólo puede existir para la vida. Y por eso, además de ser parte esencial de nuestra responsabilidad, como artistas y ciudadanos puertorriqueños, ser sensibles ante los sufrimientos de nuestro pueblo, sea donde sea y cuando sea, más importante aún es ser solidarios con las causas justas y las luchas que eso conlleva.

De acuerdo con esta declaración, queremos dejar saber y constar nuevamente a toda la gente de nuestro archipiélago boricua que hoy, como siempre, somos parte de la lucha por la vida que por tantos años y con tanto valor y desprendimiento ha llevado el pueblo de Vieques contra la Marina de Guerra norteamericana.

Y si nos preguntan qué pensamos de la desobediencia civil, tendríamos que decir, sin duda, que la posibilidad misma de las libertades humanas, en una sociedad que aspira algún día ser democrática y justa, reside en gran parte en ella. Nos dice la Ley que debemos obedecerla, que no podemos hacer lo que ella nos niega; pero algo hermoso en nuestras conciencias nos insiste que sí, que debemos hacerlo. Si dejáramos de hacerlo por la Ley, entonces, ¿de qué nos valdría tener conciencia?

Por esta y tantas otras razones, un grupo de amigos y amigas de Vieques, en su mayoría artistas de la nueva generación (trovadores, poetas y actores), hemos tomado la iniciativa de organizar una serie de actividades artísticas y culturales con el fin de sumarnos y aportar, en la medida de nuestras posibilidades, a los ánimos y esfuerzos civiles por recuperar las tierras ocupadas y maltratadas por la Marina de Guerra norteamericana.

Luisito y Rossana Rodríguez, del grupo Iyawó.

La primera actividad, que hemos coincidido en llamar ***"Un Canto Urgente para Vieques"***, está programada para este próximo sábado, 22 de mayo, a partir de las 7:00PM, en la Plaza de Vieques. La actividad tiene varios objetivos principales:

a. abrir un nuevo espacio de intercambio entre los habitantes del pueblo de Vieques y los demás boricuas residentes en la Isla Grande;

b. obsequiar, al pueblo de Vieques, un gesto de amor, de respeto y solidaridad con lo mejor de nuestros jóvenes artistas;

c. aportar un reconocimiento de nuestra parte al valor incalculable que para la vida del pueblo viequense tiene esta lucha;

d. fomentar un espíritu unitario, de solidaridad y fraternidad entre las diversas personas y sectores que laboran por esta causa: **por la unidad en la diversidad;**

e. hacer un trabajo de educación y reflexión general sobre el impacto de la presencia militar tanto a nivel social como ecológico;

f. compartir información, impresiones e ideas sobre posibles actividades y alternativas no violentas de acción civil; (por ejemplo, la desobediencia civil).

Irmarilis González fue la oradora del CRAV esa noche.

Para cumplir exitosamente con los objetivos de esta primera actividad, **tu presencia es esencial**. Por eso queremos invitarte a que riegues la voz, asistas y participes de manera activa, junto a l@s demás artistas y personas invitadas. Entre los presentes estarán: Gamaliel Pagan, Alí Tapia, Tito Auger, Carlos Omar, Gabriel Ferri, Jessica Cristina, Luis Edgardo, entre otros cantautores. Además, esa noche estará Terraplén, la poesía de Gallego y Tripulación Central, entre otros. Como parte de las actividades se darán varios mensajes de líderes viequenses pertenecientes a diversos sectores políticos, sindicales, estudiantiles, comunitarios y religiosos. Tu presencia será, además de un gesto de amor y solidaridad, un mensaje de aliento y unidad.

Agradecemos nuevamente la atención de ustedes y esperamos contar con sus presencias; recordando a cada cual: No dejes que nadie te quite tu derecho a pensar por ti mismo; si renuncias a él, renuncias a tu derecho de libertad.

Milton Ortiz, siempre solidario.

Tony Croato y Roy Brown ensayan antes del acto.

Todas las voces por Vieques

Viernes, 11 de junio de 1999
San Juan, Puerto Rico

A quien pueda interesar:

Saludos. Por la presente, queremos dejarte saber que un grupo de amigos y amigas de Vieques, en su mayoría artistas de la nueva generación (trovadores, poetas y actores), hemos tomado la iniciativa de organizar una serie de actividades artísticas y culturales con el fin de sumarnos y aportar, en la medida de nuestras posibilidades, a los ánimos y esfuerzos civiles por recuperar las tierras ocupadas y maltratadas por la Marina de Guerra norteamericana.

La primera actividad, *"Un Canto Urgente para Vieques"*, realizada el pasado sábado, 22 de mayo, en la Plaza de Vieques tuvo una gran acogida de parte de todos los sectores que participaron (asociaciones de pescadores, sindicatos, organiza-ciones civiles, políticas y religiosas, entre otros.) Los objetivos generales (expuestos en la conferencia de prensa) están cogiendo forma y cobrando fuerza.

La próxima actividad hemos coincidido en llamarla ***"Todas las voces por Vieques"*** y se llevaría a cabo en el **Teatro de la Universidad de Puerto Rico**, el **miércoles 16 de junio** a las **8:00 de la noche**. El objetivo principal de la misma es, además de dar seguimiento a los trabajos unitarios de sensibilización en torno a la precaria situación de la Isla Nena, recaudar auspicios económicos. Dar la continuidad que precisa esta lucha, que es de tod@s para tod@s, urge de la participación activa de tod@s. Por eso queremos invitarte a que riegues la voz, asistas y participes de manera activa, junto a l@s demás artistas y personas invitadas. Tu presencia será, además de un gesto de amor y solidaridad, un mensaje de aliento y unidad.

Agradecemos de antemano tu atención y esperamos contar contigo.

Tito Auger, de Fiel a la Vega.

Entre los artistas que respondieron solidariamente esa noche se encontraban: Gamaliel Pagán, Carlos Omar , Fiel a la Vega, Luis Edgardo, El Topo, Gabriel Ferri, Mike Villegas, Alí, Gallego, Jessica Cristina, Fernandito Ferrer, Frankie, Rossana y Luisito, Roy Brown, Adeán Cabán, Luis Rojas, Pedro Capó, Tony Croato, Manjar de los dioses, Carlos Estéban Fonseca, Miguel Morales (Bejuco), Espacio A, Millo Torres, Bairex y Laura, Rebio Diaz, Mimi Maura y Sergio, Danny Rivera, entre otr@s...

Antonio Cabán "El Topo".

El espectáculo fue un éxito y no trabajamos para menos. Pero, aunque conseguimos sin costo el Teatro de la UPR y los artistas participaron por solidaridad, no hubo en el teatro ni mil personas y casi la mitad no colaboró con los donativos, además que los costos de producción y sonido excedieron nuestras expectativas. Nunca antes habíamos realizado un evento de tal magnitud y pagamos la novatada. Dependimos de que se regara la voz, de que las organizaciones involucradas en la lucha por Vieques dieran la mano pero, nuevamente, unos pocos corrimos con todo.

Desde entonces nos dimos a la tarea de, entre entradas y salidas de nuestro campamento de resistencia en Vieques, hacer un video documental (*Vieques: crónicas desde la desobediencia*) que sirviera de instrumento de sensibilización y educación sobre la lucha de la que éramos parte. Según lo íbamos haciendo lo presentamos como parte de nuestras conferencias y talleres de desobediencia civil en universidades, escuelas, sindicatos, hasta en fiestas y bares. Decididamente gustaba y cumplía su función mas, sin embargo, no se traducía en sumar gente al trabajo.

Éramos universitarios, por lo que resultaba imprescindible concentrar una buena parte de nuestros esfuerzos en este escenario. Mientras entrábamos y salíamos del área restringida de la Marina, promovimos la organización de la comunidad universitaria.

La desobediencia civil: un derecho democrático - un deber universitario[1]

por **Gazir Sued**

13 de octubre de 1999

La presencia militar norteamericana no es un hecho que pertenece al curso natural de la vida y desarrollo del pueblo de Vieques. Es el efecto de una ocupación bélica que, desde que tuvo lugar, se ha enfrentado al repudio y la oposición de los habitantes de la Isla Nena. Hoy sabemos a plenitud que este cuerpo militar no sólo no goza de la simpatía del pueblo viequense, sino que es rechazado por el pueblo puertorriqueño entero. Esto es historia harto sabida. Tres razones generales nos sirven para dar cuenta precisa de esta afirmación, aún cuando sabemos que sólo basta mirar de frente para constatar el deseo inquebrantable de nuestro pueblo porque se devuelvan las tierras ocupadas y se reivindique a la gente maltratada...

En primer lugar, las actitudes ofensivas, desconsideradas e irrespetuosas para con la vida, la salud y la dignidad de los seres humanos que habitan la hermana isla; y no se mencione la destrucción de su ecología, de sus recursos naturales, de sus atractivos estéticos o de la vida marina, de sus abastos acuíferos casi inexistentes, su maltrecha flora y su abusada fauna... porque la lista de abusos -como ha sido probado mil veces- sería inacabable. En segundo lugar, el terrible contraste de la actitud militar con los principios fundamentales que rigen el espíritu democrático de nuestro pueblo, que ha consagrado con estricto rango constitucional el valor de la vida y convertido en derecho natural e irrenunciable el principio de inviolabilidad de la dignidad humana. Las actitudes burlonas, chantajistas, cínicas y arrogantes como la fuerza militar, a través de sus representantes, actualmente tramitan los términos del conflicto lo evidencian diariamente: más que insinuando, amenazando a que si no aceptamos su permanencia por la razón, la tendremos que soportar por la fuerza. En tercer

---

[1]Esta ponencia fue presentada ante la Asamblea General de Estudiantes de la Universidad de Puerto Rico, recinto de Río Piedras, en octubre de 1999. En dicha asamblea se aprobó por unanimidad el apoyo a la lucha del pueblo viequense. Posteriormente ha sido revisada, actualizada y presentada en múltiples foros en universidades y escuelas, en sindicatos de trabajadores y en conferencias, como parte de nuestros esfuerzos de reclutamiento y talleres de desobediencia civil, hasta el mes de abril del año 2000.

lugar, y por lo anterior expuesto, decididamente las intenciones futuras de la Marina de Guerra no sólo son contrarias a la voluntad de los habitantes de la Isla Nena y de la Nación puertorriqueña en general, sino que son irreconciliables con los principios y aspiraciones fundamentales que sirven de horizonte a las históricas y cotidianas luchas por vivir en una sociedad cada vez más democrática y justa...

Estamos convencidos de que las universidades debieran ser depositarias de las más altas aspiraciones del pueblo puertorriqueño. Y, de acuerdo a este principio, participar activamente en la búsqueda y difusión de alternativas frente a los grandes problemas que aquejan a nuestro pueblo. La comunidad universitaria es parte integral del pueblo puertorriqueño y como tal tiene la responsabilidad de hacerse eco de estas aspiraciones. Más aún, tiene el deber de hacerse partícipe activa de todas las luchas reivindicativas de nuestro pueblo. Vieques es hoy, más que nunca, una responsabilidad ineludible de todo universitario

Sabemos de los grandes problemas por los que atraviesa el pueblo viequense, no sólo por sus tan arrastrados lamentos o por sus eternas quejas (que son partes de una vida sin grandes expectativas inmediatas y sometida a la simple sobrevivencia) sino por el valor incesante y los incontables sacrificios de sus habitantes, que han salido al paso y hecho frente a ese poder militar que tanto los ha hostigado y maltratado. Aún así –y sobre todo para los universitarios- la verdad de esta terrible experiencia, aunque fuera narrada por la voz de un sólo viequense, debería haber bastado para sensibilizar nuestras conciencias y echarlas a andar en entera empatía y solidaridad. Pero sabemos que las voces se han multiplicado, los estudios científicos, las más diversas posiciones éticas, morales, religiosas y políticas se han sumado: una sola voz grita: ¡Vieques Libre! La Marina, ¡Que se vaya!...

Muchos hemos participado activamente, no sólo como universitarios sino como ciudadanos, en la búsqueda de esta verdad y la hemos encontrado. Se ha difundido hasta los rincones más remotos de nuestros campos y ciudades, y ha trascendido los límites de nuestro territorio nacional. Ese gran problema que aqueja a nuestro pueblo lo hemos identificado: se llama la Marina de Guerra norteamericana. La sociedad civil entera, incluso el gobierno vigente, ha sido partícipe de esta búsqueda y ha decidido que la Marina se vaya. Hemos encontrado la única solución posible a tan expuesto problema. Hemos coincidido unitariamente en ella. Nos hemos expresado solidaria-mente a favor de ella. Pero eso, también, es harto sabido...

La pregunta obligada cuando nada más queda por decir es, irremediablemente, qué hacer. Se han trancado las fichas del diálogo; eso lo sabemos. De parte del ejército, ya lo han dicho: el presidente Clinton dio luz verde a su permanencia y la milicia está dispuesta y preparada a sacarnos mediante su habitual recurso: la fuerza bélica. Nos quedan dos opciones: o resignarnos al aplastante poderío militar, abandonar la lucha y retirarnos, o continuar la lucha con más brío que nunca y resistir hasta las últimas consecuencias de nuestros actos. Y sin duda resistiremos. Pero lo haremos pacíficamente, como seres racionales y no como bestias salvajes. Estaremos presentes por la fuerza de la razón y el intelecto, por voluntad de conciencia y de sensibilidad humana y no por la fuerza bruta, arrogante e insensible como la que militares y federales tratarán de imponer sobre nosotros.

Para efectos de esta situación, proponemos considerar el valor ético-social del acto de no acatar las leyes injustas. En este caso en particular, se trata de una propuesta ya sonada por largo rato: desobedecer la ley que mueve y soporta la presencia de este cuerpo militar por una razón de principio y conciencia. La razón no es compleja: en primera instancia, porque estamos convencidos de que toda ley debe ser efecto de una expresión democrática y no del capricho de quienes tiene el poder de imponerse por la fuerza. De modo simultáneo, porque hemos coincidido y demostrado, además, que toda ley que hoy protege y garantiza como derecho legítimo las prácticas militares -que tanto daño hacen a la población humana que habita Vieques -en su dimensión sicológica, emocional y espiritual, como a su entorno ecológico- es injusta y discriminatoria contra la comunidad viequense en particular y contraria el sentir y a la voluntad de nuestro pueblo en general. Al desobedecer esta ley, cumplimos con el sagrado deber ciudadano, que es, cuando poco, defender por todos los medios necesarios la vida y la dignidad de las gentes que viven hoy, así como convertir nuestros actos en horizonte de esperanza para quienes vivirán mañana...

Entendemos y definimos el acto de no obedecer una ley injusta no sólo como un deber civil ético y político sino como un derecho democrático irrenunciable. Es esto lo que pensamos de la desobediencia civil, cuando expresa el sentir de la voluntad de libertad y justicia de un pueblo: hoy, gran parte de la posibilidad de libertad y seguridad de los seres humanos que habitan la hermana isla, reside en ella. Pero nos dice la Ley militar que debemos obedecerla, que no podemos hacer lo que ella no permite; pero algo hermoso en nuestras conciencias nos insiste que sí, que debemos hacerlo. Como tantas voces ya han repetido: si rindiéramos nuestra conciencia ante los reclamos de ciega obediencia a una ley injusta, ¿de qué nos valdría tener conciencia?

Creemos en la esperanza del pueblo viequense, porque es la misma esperanza en la que creen todos los pueblos que hoy luchan por una vida más segura, digna y de libertad. Nos hemos comprometido con la justa causa de estos esfuerzos civiles por rescatar las tierras ocupadas y maltratadas por la Marina de Guerra norteamericana. Es este un compromiso irrenunciable con la vida y el porvenir de las gentes que hoy habitan no sólo nuestra Isla Nena, sino todo el Archipiélago puertorriqueño.

Interpretar, pues, la presente ocupación militar de la Isla Nena como una condición inevitable, como una suerte irremediable que nos ha deparado el destino, es una invitación abierta a la resignación fatalista. A fin de cuentas, la existencia actual de los ejércitos se debe, en gran parte, más que a la voluntad de quienes los promueven, a los que callan y por sus silencios los mantienen. La Marina de Guerra, pues, se quedará en Vieques tanto más como cada uno y entre todos permitamos que se quede...

Como decía Einstein: "la vida es muy peligrosa, no sólo por las personas que hacen el mal, sino por las que se sientan a ver lo que pasa." Lamentamos, sí, que existan compañeros universitarios que todavía se desentiendan de esta lucha, que es desentenderse de la miseria y el dolor de la gente de la Isla Nena. Recordémosle que gran parte del poder militar reside, más que en sus armas y soldados, en la inhibición y en la indiferencia de la gente. La Universidad no es una cajita de cristal en la que guardamos la conciencia para que no se ensucie de la miseria y del sufrimiento ajeno. Por lo menos debiéramos esforzamos para que así no lo fuera.

Y quizás nos dirán –como tantos y por tanto tiempo nos han dicho- que esta es una lucha perdida, que es imposible sacar a la Marina de Vieques, que perdemos el tiempo. Pero -como decía un amigo- el camino más corto para conseguir que algo resulte imposible es justamente no preguntarse si acaso podría ser posible...

Parafraseando a Sergio Pesutic: quizás sea utópico luchar a favor de una causa perdida. Pero de causas ganadoras esta construida la mayor parte de lo peor en nuestra sociedad. Quizás justamente por ello, causas como la lucha en Vieques contra la Marina, que por momentos equivale a darle bofetadas a un tanque, resultan entrañablemente humanas...

Reconozcamos que ha sido la presencia integra de la desobediencia civil pacífica en las zonas restringidas el acto que por ya casi un año entero ha detenido las prácticas y maniobras bélicas del poderío militar más grande del mundo. Este mes celebraremos el primer aniversario de esta jornada de lucha. Este mes celebraremos que por un año entero hemos mantenido abierta una puerta más a la esperanza de algún día vivir en una sociedad verdaderamente democrática y celosa defensora de los derechos fundamentales de todo ser humano.

Creemos en la posibilidad de sacar definitivamente a la Marina de Guerra de Vieques... apostemos a que podemos hacerlo. Hagamos valer ese intento...

...ya hacía algún tiempo que buscábamos un lugar donde establecer nuestro campamento. Con cada cual aportando lo que pudiera y equipado con lo que tuviera, recorrimos los caminos militares entre bombas y veredas de bayahondas, hasta que un buen día, al fin, encontramos el lugar que tanto buscábamos.

Campamento del Colectivo de Resistencia Amig@s de Vieques

... y ocupamos, en lo más alto de una loma, un rinconcito en el paraíso. Eran las ruinas de una antigua hacienda en las Quintas de Salinas. Allí nos estableceríamos; allí, antes de entrar a octubre, izamos una bandera.

Enseguida, con el mejor de los ánimos, nos dimos a la tarea de levantar un campamento, sin mayores recursos que nuestra voluntad y nuestra determinación de hacerlo.

En poco tiempo y tras un gran esfuerzo el terreno estaba listo para empezar a construir.

Trajimos maderas y provisiones de la Isla Grande, todo cuanto pudimos. Albanaí Valentín fue parte de estos esfuerzos desde sus inicios. Dos años más tarde sería encarcelada por volver a este lugar a detener los bombardeos.

Nunca sabíamos con certeza cuándo sería el día en que los militares intervendrían. Seguimos construyendo, como alguna vez se hizo en Monte David. También lo hacían los compañeros del Congreso Hostosiano, los ecuménicos, los maestros, los sindicatos y los viequenses del Cayo la Yayí. Al sur construían los independentistas del PIP y Todo Puerto Rico con Vieques. En la punta del este, más adentrado en el campo de tiro, se levantaba el campamento de resistencia Mapepe.

Ya antes de finalizar el año, podíamos decir que habíamos, entre todos, construido el inicio de una nueva comunidad. Al pie de nuestro campamento se levantó la capilla ecuménica, a su lado "la escuelita de los campamentos", del CNH y al frente, siempre, los acampadores solidarios que llegaban a diario.

Irmarilis González, Camila Gelpí y Moira Carol estuvieron desde los días de la nueva resistencia en Monte David. Irma y Camila, solidarias luchadoras por la causa de Vieques, dos años más tarde serían arrestadas por participar en la ocupación de la Estatua de la Libertad y, varios meses más adelante, por un acto de desobediencia civil frente a las Naciones Unidas en la ciudad de Nueva York. Entre tanto, Moira tendría su primera hija.

Martín, quien fue siempre un gran apoyo, tenía su campamento un poco más abajo del nuestro, donde meses más adelante Ismael Guadalupe se establecería, nombrándolo campamento Ángel Rodríguez Cristóbal.

Josian Martínez, Héctor Sánchez (Cano) y Mía Noemí Sued, también desde los primeros días, eran parte de este nuevo campamento de resistencia.

Muchas noches dormimos a la intemperie, sin ninguna queja que valiera. Poco a poco y con mucha paciencia terminamos nuestra casa en la loma. En la hamaca, Ricardo Sivael Morales (Gugui), quien sería aprisionado por los federales junto a otros compañeros, por regresar a detener los bombardeos dos años más adelante.

Aquí, varias semanas después, en nuestra recién construida casa, Bryan McCall, Ricardo Morales (Ricky), Gazir Sued, Félix Iván Aponte (Felito) y Josué Caamaño. Al año entrante Gazir integraría los Jinetes por la Paz y sería arrestado y encarcelado por entrar nuevamente a detener los bombardeos. Un año después a Felito le tocaría la misma suerte.

Las paredes de nuestro campamento las rescatamos en la playa del sur. Desmantelamos los "targets" de los militares y les dimos un mejor uso. Lo demás, por lo general, lo encontrábamos en las playas cercanas.

Pasaron dos huracanes ese año. El campamento tuvo que ser desmantelado y vuelto a rehacer. La temporada de mosquitos nos forzó a instalarle "screenes". Techamos con zinc e instalamos una canal para recoger agua de las escasas lluvias. En el techo hacíamos los turnos de guardia nocturna. Siempre había algo en lo que ocuparnos, explorando y conociendo el área, las playas, los acantilados, o aunque fuera descansando, leyendo, escuchando música, cocinando y comiendo, conversando o simplemente contemplando la suerte que nos había tocado por estar en ese hermoso lugar.

Todas las mañanas un helicóptero de la Marina sobrevolaba los campamentos. Tal vez para llevar a cabo misiones rutinarias de reconocimiento, tal vez para tratar de intimidar a los desobedientes. Fuera cual fuera su intención, allí estábamos... y allí nos quedábamos.

Pilli Aponte era nuestra cantora. Con ella, Felito, Alba, Mila Aponte, Héctor Quiñones y Andino, disfrutando el momento tras una jornada de mucho trabajo. Pero no todo era como hubiéramos querido que fuera. Aunque las solidaridades con la causa y el movimiento crecían, la coordinación general de los esfuerzos se daba a menudo entre tropiezos. Los costos para mantener en pie un campamento eran elevados y la realidad más cruda era que, a pesar de todo, no éramos todos los que pudiéramos haber sido.

Carta a Todo Puerto Rico con Vieques[1]

24 de octubre de 1999

A quien pueda interesar:

Por la presente quiero extender un saludo solidario y fraternal a l@s compañer@s coordinadores de ***Todo Puerto Rico con Vieques*** y, a la vez, solicitar formalmente su atención sobre un asunto que nos lleva preocupando un tiempo.

Hace varias semanas los compañeros de Monte David se comunicaron con nosotr@s para pedir una aportación económica significativa ($1,500). Esta tenía un carácter de urgencia, pues las

[1]Para ayudar a financiar los costos de mantener un campamento de desobediencia hicimos el concierto *Todas las voces por Vieques* en el teatro de la UPR el mes de julio. Tras saldar los costos de producción apenas nos quedaron $2000 para continuar. Esta carta nunca fue contestada.

lanchas (de Zenón y de Papo Ice Cream) se habían dañado y, además de ser éstas el medio de trabajo de estos pescadores, se les veía imposibilitada la transportación constante para llevar provisiones al campamento. Esta situación, sin duda, acentúa el carácter de urgencia.

Sin embargo, aunque respondimos solidariamente y sin vacilar ante esta situación, llamamos la atención de que nos resultaba extraño este acercamiento a nosotr@s –***Amig@s de Vieques***- en particular y no a la coordinadora general, que en su asamblea constitutiva (del 13 de junio de 1999) acordó apoyar incondicionalmente todas las gestiones de los campamentos de desobediencia civil, que incluye, por demás, asegurar que exista transportación a los mismos. Eso lo dejamos saber y, para nuestra sorpresa, nos comunicaron que ya habían solicitado ayuda a ***Todo Puerto Rico con Vieques*** y que sin razón alguna se la habían negado.

De nuestra parte, atendiendo el problema inmediato, resolvimos darles el dinero, pero a manera de préstamo momentáneo, pues, no solamente no contamos con otra fuente de ingreso, ni tan siquiera porque hayamos tenido comprometido el dinero para un sinnúmero de otros trabajos y actividades (entre las que contamos la realización de varios talleres participativos de educación y desobediencia civil en las universidades y la apertura -construcción y mantenimiento- de nuevos campamentos, entre otras cosas), sino porque entendemos que es un compromiso formal e ineludible de ***Todo Puerto Rico con Vieques*** hacer accesible los recursos económicos disponibles para respaldar los actos de desobediencia civil en las zonas restringidas por la Marina. La información que tenemos, al momento en que escribo esta carta, es que se realizaron las gestiones pertinentes por parte de los compañeros abogados (Arraiza y Nazario) y no ha habido respuesta concreta, más allá de la negativa mencionada.

Reconocemos que el ritmo de esta lucha, en ocasiones, no permite atender con debida rapidez todos los asuntos que quisiéramos. No obstante, dado que ***Amig@s de Vieques*** (aunque somos parte de ***Todo Puerto Rico con Vieques***) laboramos de manera autogestiva, debemos insistir llamar la atención sobre el asunto. Sobre todo porque, como ya habrán sabido, recientemente hemos abierto un campamento (sobre las ruinas de la vieja hacienda, en las Quintas de Salinas) y, paralelo a ello, estamos preparando una serie de actividades que requieren un sin fin de recursos que exceden nuestra actual capacidad económica. Hasta el momento hemos sabido hacer de tripas corazón y, sin duda, lo seguiremos haciendo.

No pedimos más de lo que entendemos justo. Y esto es por lo que hemos trabajado. Hemos hecho hasta lo indecible por tramitar nuestras gestiones de modo autogestivo, para no resultar una carga a los trabajos de la coordinadora en general, de la que somos parte. Por esta razón solicitamos nos ayuden en lo posible a *recuperar* este dinero. Agradecemos de antemano su pronta atención al respecto. Fraternalmente,

Un sueño en Vieques[2]

Por **Jalil Sued Badillo**

23 de noviembre de 1999

La situación de Vieques me ha tenido intranquilo ya hace varios meses. Tengo que admitir que algunas noches he perdido el sueño irremediablemente, cosa que no suelo hacer con frecuencia. Por lo general, busco en la lectura explicaciones o simple asilo y suelo encontrarlo. Conozco la historia de Vieques bastante bien y sé que desde antes de la conquista española fue presa codiciada por todos los que incursionaban a este lado del Caribe Oriental. Por los datos arqueológicos también sé que desde dos milenios antes de Cristo, la Isla Nena- Guaylí Cairí- como se diría en taino, fue escenario de visitas de afuera que no siempre debieron ser bienvenidas. La arqueología no nos dice, sin embargo, el carácter de estos encuentros entre los boricuas viequenses y los extranjeros que arribaban a sus playas. Pero lo que sí nos consta es que a la llegada de los españoles a principios del siglo XVI, la isla de Vieques estaba en manos de los viequenses. Como sus compatriotas de la Isla Grande del Borikén, eran valerosos y defendían bien su tierra como dijera de ellos el padre Bartolomé de

[2]Este artículo fue publicado en el semanario Claridad del 26 de noviembre al 6 de diciembre de 1999.

las Casas. Supe también que ese valor de los viequenses se componía de mucha lealtad para sus compatriotas borincanos y que ante la invasión española, no dudaron en cumplir con su deber. En el mes de abril del 1513 uno de sus dos caciques, Cacimar, el bravo, incursionó en tierras de la Cacica Luisa del Aymanio, quien se había aliado a los españoles y la castigo severamente. Dicen las crónicas que el mismo cacique perdió su vida en aquel combate. Los viequenses habían estado también en los ataques a Caparra en el verano de aquel mismo año, golpeando en el corazón mismo de la empresa colonial y con toda probabilidad en muchos otros encuentros que la crónica invasora catalogaba de ataques caribes. En octubre de 1513 el castigo a Vieques no se hizo esperar - el teniente de gobernador Cristóbal de Mendoza invadió la Isla Nena y llevo a cabo una de las matanzas más sonadas en los tiempos de la conquista. Allí entregó la vida defendiendo su isla amada el corajudo Cacique Yahureibo. ¡Terrible castigo sufrieron los viequenses indígenas por su solidaridad y lealtad al Borikén! Los que no perecieron resistiendo fueron capturados y vendidos en pública subasta en el viejo San Germán. Detalles sórdidos de estos eventos están en la notoria y poco conocida Probanza de Juan González, de 1532, que se encuentra en el Archivo de Indias de Sevilla, Audiencia de México, legajo 302. Y de la cual, por supuesto, tenemos copia paleográfica. Desde aquellos tristes años hasta el siglo XVIII, Vieques permaneció despoblada oficialmente, si no hiciéramos cuenta de los innumerables y felices casos de refugiados- indígenas, mestizos, africanos, esclavos, presidiarios, perseguidos, contrabandistas, piratas y algunos naturalistas y excéntricos hombres y mujeres que encontraron en su regazo florido y marítimo un verdadero paraíso.

Pero la Isla Nena estaba situada en lugar que incomodaba a las autoridades coloniales de Puerto Rico, por su cercanía, y que tentaba a los mercaderes contrabandistas no españoles, por ser escala favorable a sus intereses. En el año de 1689 se impide un poblamiento inglés detectado en la isla y para su remoción se delegó la tarea en el cabo principal de la escuadra del Corzo de Guipuzcoa, don Francisco de Aguirre, un mercenario que tenía su base de operaciones en Santo Domingo. En 1718 se volvió a impedir otra toma inglesa de la isla, en esta ocasión se movilizaron milicianos boricuas voluntarios, reclutados mayormente de la región de Humacao a Maunabo. Y en 1797 volvemos a ver registrada otra incursión contra ingleses que amenazaban quedarse con Vieques. Fueron desalojados por el capitán Casimiro Dávila y sus tropas criollas.

Jalil Sued Badillo, profesor universitario, también ha sido parte de este proceso de lucha desde los primeros días.

Vieques permaneció como parte de Puerto Rico todos esos siglos más que por determinación política de España, por el sacrificio de sangre que los milicianos borincanos regaron para hacerlo posible. Porque fue la milicia puertorriqueña y no la tropa peninsular la que se invirtió en la defensa colonial del archipiélago. A partir de 1842 Vieques comenzó a transformarse dramáticamente, de refugio tropical en municipio colonial. Con inversión de dinero y trabajo, la Isla Nena ingresó en el mundo azucarero criollo y, con sus penas y sus alegrías, comenzó a ser puertorriqueña. Pero en 1941-malhaya, el año que yo nací- el ojo militar estadounidense la distingue, junto a Culebras, para lo que fue castigo incesante que ya lleva casi sesenta años. Los norteamericanos se unían así a la histórica lista de depredadores nefastos, que como las sequías y las tormentas, que como las plagas de hormigas y las de comején destruyen todo a su paso en los trópicos. Y pensando en esta tragedia, me quede dormido hace unas noches pero solo para despertar, rayando el alba, con un quisquilloso sobresalto y una sonrisa de oreja a oreja...

Soñé que los puertorriqueños, los cuatro millones en la Isla Grande, los tres millones en Estados Unidos y los nueve mil en Vieques, nos transformábamos en un mar de pequeños insectos, casi imperceptibles, del tipo que los tainos, y después los jíbaros llamaban *Niguas*, (*Tunga penetrans*: insecto del orden de los afanípteros, semejante a la pulga, que penetra por la piel de los pies, pone sus huevos y ocasiona picazón y úlceras perniciosas. Afecta tanto a las personas como al ganado). Iñigo Abad y la Sierra describía las niguas en 1782 de esta manera:

> "No hay pulga más universal ni molesta que la de las niguas. En las casas, en los campos y por todas partes hierven estos insectos e incomodan a los racionales y a las bestias (…) se internan entre las medias y zapatos penetran la carne viva, causando una comezón ardiente (...) introducidas en la carne forman una bolsita de tela y a las veinticuatro horas ya tienen en ella deposito de huevos para criar un hormiguero de niguas…no se sabe en esta isla remedio para preservarse de esta plaga terrible."

Nuestros perspicaces campesinos bautizaron con ese nombre a escuálidos ríos en Arroyo, Luquillo, Cidra, Naguabo y Cayey, porque cuando cogían agua eran terribles. ¡Un pueblo de niguas! Qué tremenda postura para la batalla por Vieques. Cada boricua una nigua, para picar, para roer, para desesperar, para joder. Un ejército de niguas desatado en cada ciudad estadounidense, en cada calle, en cada base, en cada cama, en cada inodoro... Para que se rasquen hasta que se rindan. !CADA BORICUA UNA NIGUA! *Tunga penetrans*. ¡FRENTE A LA MARINA AMERICANA, UNA NIGUA BORINCANA! Con semejante sueño no se puede dormir...

De vez en vez, juntos con otros campamentos, hicimos barricadas para bloquear el posible paso de los camiones militares. La tierra que habitábamos había sido rescatada del devastador poderío militar y cada día que pasaba era un día que ganábamos en la lucha por la desmilitarización de la Isla Nena. Pero hubo ocasión que el desafío fue aún mayor.

...era ya la segunda vez que Tito Kayak lograba burlar la seguridad y la vigilancia del punto de observación de la Marina, ubicado dos montes más arriba de nuestro campamento.

Esa mañana subimos todos y entramos dentro de las instalaciones militares; hasta que llegaron con sus perros a sacarnos.

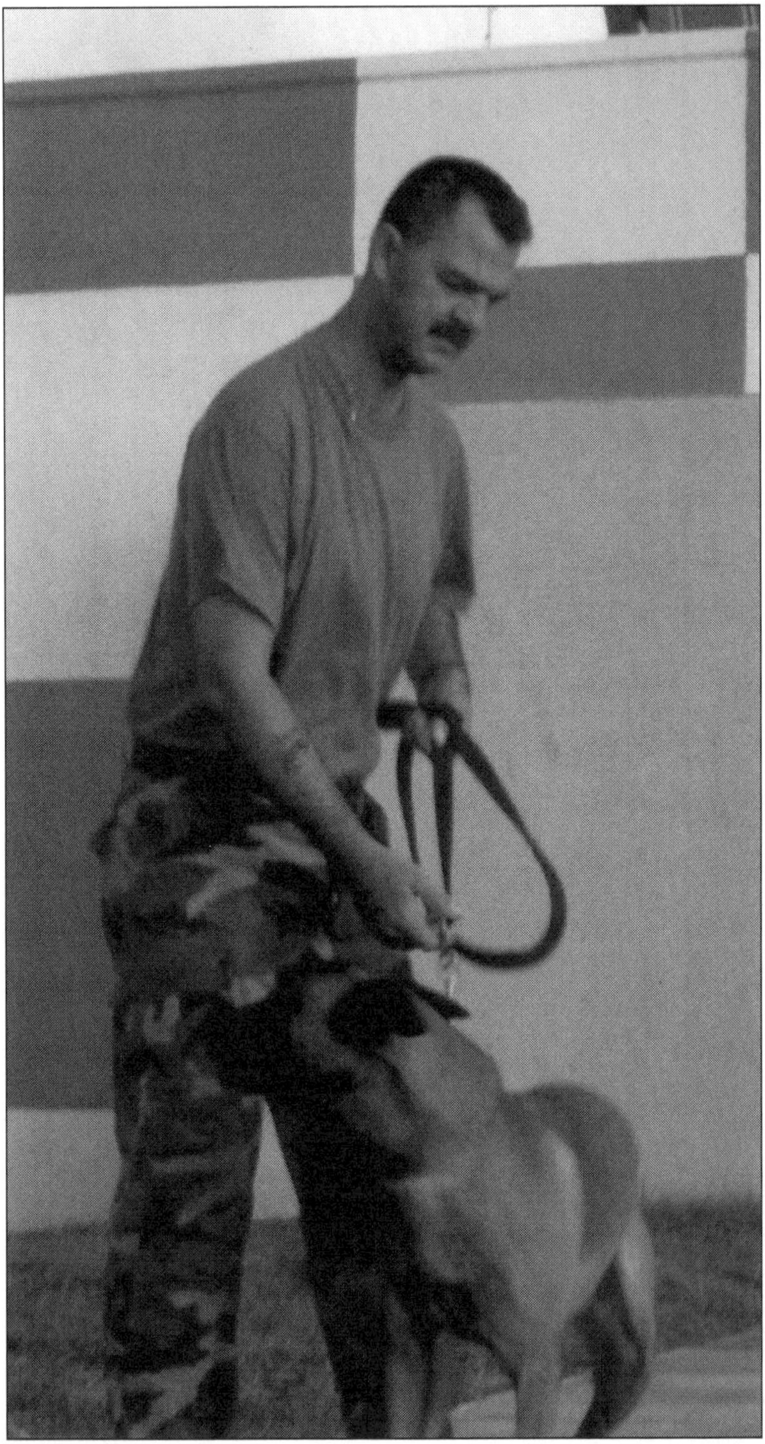

...y, como quien no quiere la cosa, bajamos sonrientes del lugar de vuelta a nuestro campamento. Pero no todo pasaba sin percances. La diversidad que caracterizaba la vida entre los campamentos la defendíamos como algo enriquecedor mas, sin embargo, había mucha desconfianza, prejuicios y chismes rondando entre los campamentos. Éramos jóvenes, sin ataduras a ningún partido u organización grande. Baste decir que en nuestro campamento nunca establecimos condiciones que contradijeran nuestros espíritus libertarios. Lo habitábamos personas que sólo respondíamos a la causa y la causa exigía apertura y flexibilidad ante las diferencias, fueran cuales fueran. Éramos unitarios, sin reservas ni restricciones traídas por los cabellos de otras experiencias o tradiciones. Ganarnos el respeto sin doblegar nuestro modo de ser y actuar tenía un alto precio a pagar, y lo pagamos. Pero esas historias, que no serán nunca olvidadas, hoy todavía no serán contadas.

Carta de Albanaí desde el campamento

Viernes 18 de febrero del 2000

Compañeros:

Me gustaría poder pensar que la vida es hermosa, que todo caiga perfecto para una armonía perfecta. Me gustaría pensar que todo se complementa, así como la naturaleza lo hace. La lucha de estar aquí, la pasión de vivir en estos campos, la valentía de decirle a un imperio mil veces más grande ¡aquí estoy, y no te tememos!, es vida, es la vida más pura y digna que conozco ahora a mis 18 años.

Por otro lado, en estos mismos campos donde la frustración abunda, la rabia nos asecha y nos sorprende, juega en contra de nosotros y a favor de ese imperio que con toda seguridad sé que podemos vencer; y vencer no necesariamente es sacarlos de aquí, sino también demostrarles el corazón, el dolor que arrastramos con los años y la voluntad de dar cara y vida. El arma más poderosa que poseemos en estos momentos es esa.

Me gustaría pensar que todos nosotros nos pudiéramos convertir en un alma, que cuando se levante un techo sea el techo de todos, que cuando disfrutemos del arroz que preparen dos manos nos demos cuenta que somos uno; que algo tan necesario y sagrado que nos regaló el planeta no nos pertenece a nadie; que el poder de dar algo que tú tienes y otro no es placer, un deber mágico que debemos cultivar y enseñar; que el odio a los otros se convierte en odio a nosotros mismos.

Compañeros, todos vamos a vencer juntos y con honor, somos un equipo con un solo corazón y propósito...

***

...allí permanecimos gran parte del tiempo. En ocasiones algunos nos quedábamos solos, en otras nos rotábamos por pequeños grupos. Algunos estudiaban y otros trabajábamos. No podíamos estar todo el tiempo, aunque lo quisiéramos, pero de seguro siempre estuvimos cuando había que estar. Así pasó el verano, llegó navidad y allí recibimos el año nuevo. Además, siempre quedaban cabos sueltos que atar en la Isla Grande; demasiado faltaba por hacer. Por eso lo más importante de cuando bajábamos de vuelta a la Isla Grande a resolver lo personal de cada cual, era cuando procurábamos que, por la causa, valiera la pena. Seguimos dando los talleres, las conferencias y presentando el documental en universidades, escuelas, en fiestas, en bares; en todas partes que tuviéramos la oportunidad. Pero eso tampoco bastaba. Tuvimos que echar a volar un poco la imaginación e inventarnos otros modos de seguir haciendo a Vieques sonar...

"Queremos cambiar las cosas. Y para cambiarlas, desobedecemos; pero antes hay que pasar las fronteras del miedo, las que paralizan los anhelos y tanto limitan los horizontes. Y esas fronteras no las pone solo la ley, sino nuestra propia obediencia..."

El 11 de febrero del 2000 ocupamos el vertedero municipal de San Juan. La policía llegó temprano en la mañana pero no pudo hacernos bajar. Ya una vez los medios habían empezado la cobertura del acto las autoridades municipales accedieron a dejar las pancartas hasta que finalizáramos la manifestación.

Comunicado de Prensa

Manifestación en el vertedero de San Juan

11de febrero de 2000

San Juan, PR- Desde tempranas horas de la madrugada decenas de manifestantes en apoyo a Vieques se movilizaron al expreso las Américas para expresar su solidaridad incondicional a la lucha del pueblo viequense por sacar a la Marina de guerra norteamericana y detener definitivamente los bombardeos.

Apostados con las caras pintadas en las vías del expreso las Américas, en los alrededores del vertedero municipal de San Juan, los manifestantes han mostrado pancartas alusivas al tema, en repudio a la presencia militar en la isla nena y a la actual determinación de prolongar los bombardeos.

Los caras pintadas piden Paz y Justicia para Vieques y promueven la participación y el apoyo a los actos de desobediencia civil que se realicen para tales fines. Para tales efectos los caras pintadas por Vieques se ha dado a la tarea de repartir una hoja suelta entre los vehículos que transitan el expreso. La hoja que están repartiendo en estos momentos lee como sigue:

"Creemos en la esperanza del pueblo viequense, porque es la misma esperanza en la que creen todos los pueblos que hoy luchan por una vida más segura, digna y en libertad.
Esta lucha es de todos, para todos.
La Marina de Guerra se quedará en Vieques tanto más cuanto cada uno y entre todos permitamos que se quede.
Creemos en la posibilidad de sacarla.
Podemos hacerlo...
Hagamos valer el intento..."

Simultáneamente, un grupo de "caras pintadas" ha penetrado en los terrenos del vertedero municipal de San Juan y se ha subido a los enormes andamios (donde antes se anunciaba la llegada próxima del nuevo milenio) y han colocado una gigantesca bandera de Puerto Rico que lee bajo sus franjas: Bieké o Muerte. Además han colocado unas pancartas de más de cincuenta pies cada una que leen: Vieques NO se vende.

Al momento no sabemos hasta cuándo estarán presentes las caras pintadas por Vieques manifestando su solidaridad con la hermana isla y promoviendo los actos de desobediencia civil.

Los grupos que se han responsabilizado por dichos actos han firmado como Amigos de Vieques y Amigos del MAR. Sabemos que estos grupos tienen miembros actualmente en desobediencia civil en los campamentos ubicados en las zonas restringidas por la Marina en Vieques...

vacaciones del Amolao: jueza lo cita para el 2 de mayo

HORA

25¢

Piculín lleva alegría a niños del San Jorge

Se calientan las protestas por Vieques

Toman el Morro

En abril, coordinado por Todo Puerto Rico con Vieques, nos sumamos a la ocupación del castillo San Felipe del Morro. Sin mayores percances por parte de las autoridades federales, subimos la bandera de Vieques y pernoctamos allí.

En marzo ocupamos el trecho del Tren Urbano que cruza el expreso Las Américas, justo al lado de la cárcel estatal. Al negarnos a desalojar el área, las autoridades encargadas del proyecto del TU decidieron no radicar cargos y hasta nos proveyeron equipo de seguridad.

Mientras tanto, un grupo de compañeros mantenían encendida una rumba al pie del expreso. Entre ellos, Joseph Carrol, Javi y Luisito de Iyawó y Cano.

Durante la manifestación desde el Tren Urbano, un grupo de confinados de la prisión estatal "Oso Blanco" mostraron su apoyo y solidaridad a la causa viequense.

...de regreso a Vieques a veces nos quedábamos en el campamento de Justicia y Paz, que bloqueaba el portón principal del campamento militar García, ya fuera porque participaríamos en alguna actividad o ya porque no habíamos conseguido transportación para llegar a nuestro campamento. Y así pasaron los meses siguientes.

En su momento los rumores del desalojo eran más que eso, eran noticias de un hecho por acontecer que sólo había sido dejado en suspenso por un largo tiempo. Desde diciembre el presidente Clinton había dado las ordenes de desalojo, pero en días de finales de abril la presencia de la prensa local e internacional se había multiplicado como nunca antes. Todos sabíamos que ya en cualquier momento los militares volverían a invadir la tierra que por espacio de un año habíamos rescatado y convertido en nuestro hogar.

Los medios estaban preparados para exhibir al mundo el espectáculo. No creo que hubiera más de doscientas personas en total en el área de los campamentos y se auguraba que la intervención militar nos excedería por mucho. Nadie sabía con certeza cómo sería la intervención, pero de seguro todos los que estábamos, allí nos quedaríamos. Había cierta ansiedad y nerviosismo entre muchos de los desobedientes, como es natural. Las tensiones seguían en aumento...

No hay edades para dejar sentir la indignación. Doña Luisa Guadalupe, activista viequense arremete con su bastón contra la verja militar en Vieques frente al campamento de Justicia y Paz, participando del bloqueo a la entrada principal del mismo, a principios del 2000. En diciembre de ese año murió.

No éramos tantos como debimos haber sido, es verdad. Pero los que estábamos permanecíamos firmes y decididos a quedarnos hasta el final. No nos tomarían por sorpresa. Había buena y efectiva comunicación entre todos los campamentos y a nadie le quitaba el sueño la amenaza de la nueva invasión.

El tercer día de mayo habíamos terminado de hacer la cocina del campamento. Esa noche comimos muy bien y brindamos con vino, no fuera esta a ser la última noche en aquel lugar. Nos despedimos de las playas amigas hasta luego, repartimos los turnos de vigilia y, como cualquier otro día, cada cual a lo suyo y luego a dormir...

4 de mayo de 2000
Día de los Desalojos

El sol del 4 no había salido cuando ya habían empezado a invadir nuevamente los militares. Ya se habían llevado a los que estaban frente a los portones del Campamento García, en Justicia y Paz.

Muchas noches, demasiadas tal vez, llevábamos esperando este mal momento. Ya estábamos despiertos cuando Ismael Guadalupe, que estaba en el campamento Ángel Rodríguez Cristóbal, nos llamó por radio para dar el aviso...

Esa madrugada quedábamos Alba, Josué, Mila, Pilli, Héctor y yo. Se veían una manchas en movimiento en el mar. Vimos cuando los militares y sus alcahuetes federales ocuparon primero el campamento de resistencia del cayo la Yayí. Enseguida llegaron en camiones a desalojar los demás campamentos, la escuelita del Congreso Nacional Hostosiano, la capilla ecuménica y los demás. Todas las comunicaciones estaban tumbadas...

Los esperamos, tranquilos, cordialmente desafiantes y en buen ánimo. Izamos la bandera de Lares. Nos despedimos hasta luego de nuestro pedacito de patria rescatado y sonrientes nos animábamos. No sabíamos cuál sería la suerte de esta jornada, pero lo que de seguro sabíamos era que, más temprano que tarde, íbamos a volver.

FBI

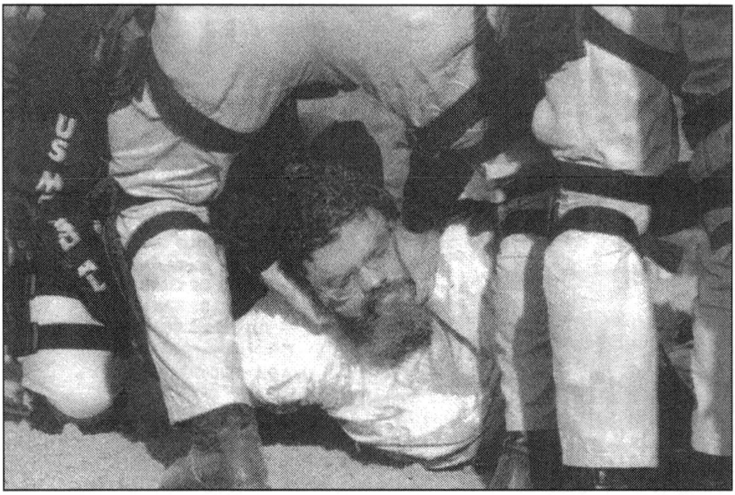

El profesor universitario Carlos Alá, mientras es forzado a desalojar el área. En mayo del 2001, tras penetrar a la zona de tiro de la Marina durante los bombardeos, sería arrestado nuevamente y encarcelado.

Carlos Pérez, miembro del colectivo de resistencia Amigos del MAR, volvió a entrar a la zona restringida y fue brutalmente agredido durante su arresto.

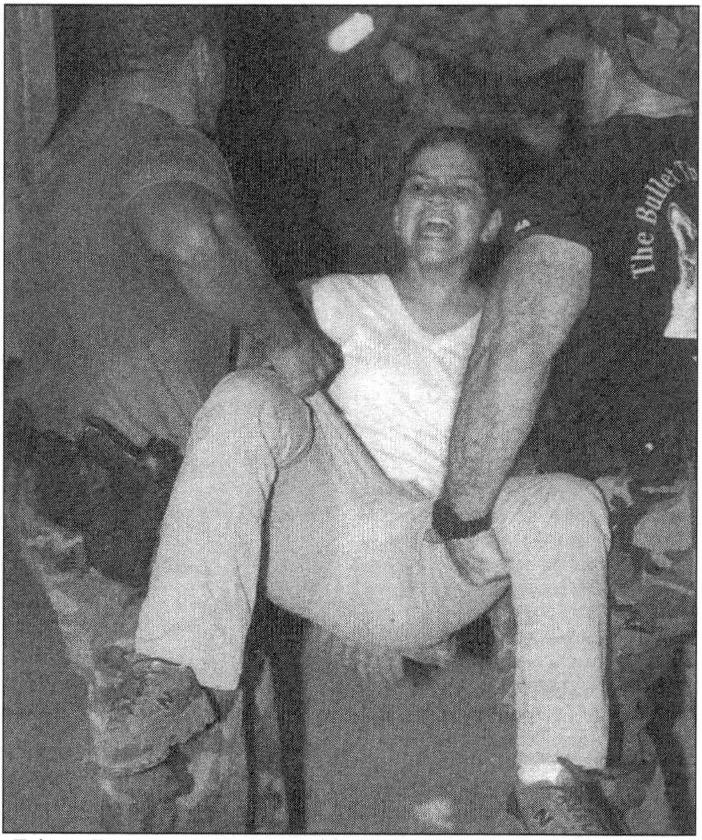

Erica Fontanez es removida por la fuerza por resistir pacíficamente el desalojo.

José Sanes, en el medio, estuvo presente durante los desalojos.

Representantes de múltiples iglesias fueron arrestados durante el desalojo.

Rubén Berríos Martínez, presidente del Partido Independentista Puertorriqueño, tras habitar durante un año en la zona restringida por la Marina, sería apresado y encarcelado por volver a entrar al área prohibida durante los bombardeos de mayo del 2001.

Bob Rabin y Nilda Merdina, la madrugada del desalojo. Ambos luchadores viequenses, portavoces del Comité Pro Rescate y Desarrollo de Vieques, han mantenido el campamento de Justicia y Paz como centro de coordinación general de la resistencia en Vieques, a la entrada del campamento militar García. Nilda entraría nuevamente a la zona restringida y sería vuelta a arrestar.

Entre cánticos religiosos y consignas de lucha los ánimos se mantuvieron en alto durante todo el proceso de desalojo

Dámaso Serrano, luchador viequense, sería electo alcalde de su pueblo con 64% de los votos a su favor. Posteriormente, volvió a entrar a la zona de tiro durante los bombardeos de abril del 2001, donde permaneció seis días antes de su arresto.

Luis Gutiérrez, congresista puertorriqueño por el Estado de Illinois, fue vuelto a arrestar por desobediencia civil durante las maniobras de abril del 2001. Durante su arresto fue agredido brutalmente por los militares.

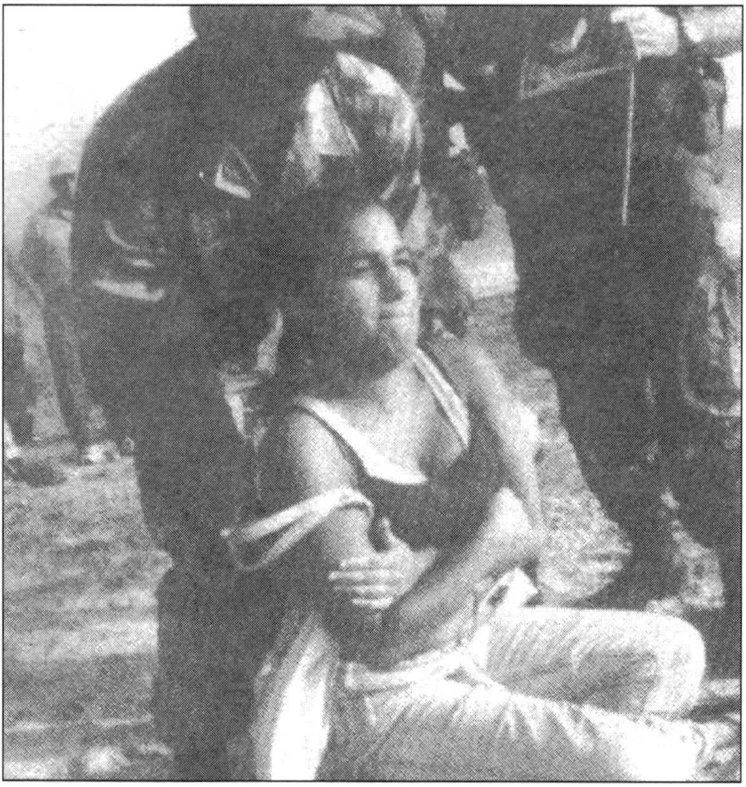

Mimita, siempre solidaria y atenta, se mantuvo presente durante todo el año en los campamentos de desobediencia.

Nos llevaron a una jaula y allí nos dejaron varias horas para luego sacarnos en helicópteros hasta la base militar Roosevelt Roads en Ceiba. Aún tras haber sido registrados y desposeídos de nuestras pertenencias, logramos colar unas pequeñas cámaras desechables. En la foto: Josué, Pilli, Mila, Alba, Héctor, Gazir, Carlos Alá, Héctor Olivieri, Rega, Harry y otros compañeros, mientras aguardábamos a ser sacados de la jaula para ser llevados a la base naval de Roosevelt Roads en Ceiba.

Desobedientes expulsados

Juran retomar la tierra ocupada

FRANCISCO RODRÍGUEZ-BURNS
PRIMERA HORA

VIEQUES.- Consumidos por el dolor y entonando La Borin-

que estaba en el campamento del Congreso Nacional Hostosiano cuando agentes lo retiraron a la fuerza de la cadena humana a la

Nos sacaron. Pero todavía quedaba gente oculta en la zona de bombardeo. También, todavía, quedaba Tito...

Tras ocupar Monte David, Tito permanecía encadenado a los pies del tanque de guerra que una vez sirvió de hogar y, sobre todo, de refugio durante los huracanes...

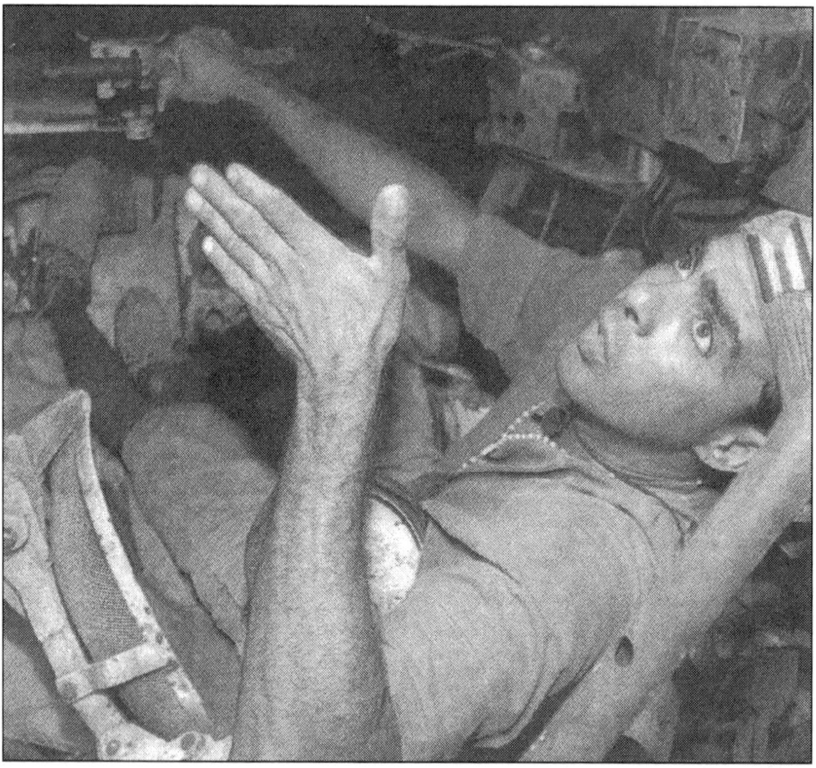

Nos llevaron a algunos en lancha y a otros por helicóptero a las jaulas en el campamento militar en Ceiba. Allí, como antes, nos negamos todos a cooperar con los federales. Nadie se identificó, éramos todos el pueblo. Los militares negaron en todo momento que estuviéramos arrestados mas, sin embargo, nos tenían enjaulados por la fuerza. Pasaron horas largas y, antes del anochecer, nos sacaron a todos de la base y nos soltaron frente a sus portones. La lucha apenas comenzaba...

EL VOCERO DE PUERTO RICO

35¢

Renuncia juez asociado Negrón García

Abogado Mario Arroyo entre posibles sustitutos

Ex novio le mata hija el Día de las Madres

En rebeldía contra la Corte

DESOBEDIENTES PROMETEN VOLVER

Salen vistiendo aún el uniforme de prisioneros

Por más de un año logramos detener los bombardeos y prácticas bélicas del imperio militar más poderoso del mundo. Sabíamos que la Marina reanudaría las prácticas más temprano que tarde, sin mucha demora. No podíamos dejar caer los ánimos combativos, no podíamos permitir que todo el esfuerzo se echara a perder. Así mismo coincidían todos los que habíamos sido desalojados ese día, que con una inmensa rabia aún sonreíamos porque de seguro, como estaba ya prometido, todos aquellos sacrificios los seguiríamos haciendo valer.

La primera fase de la lucha que hacía un año habíamos iniciado culminaba ese día. Pero le precedían sesenta de grandes sufrimientos y sacrificios. Por primera vez en la historia de nuestro pueblo la inmensa mayoría coincidía en que, de un modo u otro, la Marina de guerra debía devolver las tierras a los viequenses.

Sin embargo, el gobierno de entonces pactó con la administración norteamericana a favor de la Marina y acordaron permitir los bombardeos enseguida que se concertaran los desalojos. Quedaba poco por decir; demasiado por hacer. Quienes apostamos todo por el derecho a la vida no podíamos quedarnos de brazos cruzados durante los próximos bombardeos. La tarea estaba asignada y nos prometimos cumplirla. La lucha apenas comenzaba...

¡Volvemos a entrar!
Conferencia de Prensa

12 de mayo de 2000

San Juan, PR.- Insistimos: la presencia militar norteamericana no es un hecho que pertenece al curso natural de la vida y desarrollo del pueblo de Vieques. Todo lo contrario: es un obstáculo para su desarrollo y una amenaza constante a la vida. Cada día que pasa se reafirma que este cuerpo militar no sólo no goza de la simpatía del pueblo viequense, sino que es rechazado por el pueblo puertorriqueño casi por entero.

El colectivo de resistencia Amig@s de Vieques nos integramos hace ya más de un año a esta lucha y hemos apoyado y sido partícipes de los actos de desobediencia civil hasta el mismo día del desalojo, cuando fuimos intervenidos en nuestro campamento en la zona restringida y desalojados por las autoridades federales.

Hoy, tras el desalojo forzado por las fuerzas represivas norteamericanas y tras prolongados detenimientos ilegales, entre otros abusos a los derechos civiles, está en juego la dignidad de nuestro pueblo y, otra vez, la vida misma de los habitantes de la isla de Vieques. La Marina le ha faltado el respeto a los principios fundamentales que consagran nuestra identidad como pueblo. Pero más aún se lo faltaríamos nosotros si nos dejásemos amedrentar por sus amenazas. Esta lucha sigue...

Reafirmamos el acto de desobediencia civil como un acto de conciencia y de gran valor ético y social, pues se trata de un acto de resistencia y oposición a los mandatos de las leyes crueles e injustas que mantienen en riesgo permanente la vida del pueblo viequense, tanto de su ecología como de sus habitantes. La voluntad militar se ha impuesto por la fuerza bruta, aunque sin dejar rastros visibles de violencia. Fue la determinación de todos los ciudadanos intervenidos y removidos actuar de modo pacífico, razón esta por la cual las fuerzas federales no podrían haber actuado de otro modo. O por lo menos no frente a las cámaras de televisión y demás medios noticiosos. Tras la apariencia de civilidad de los federales estaba presente siempre la amenaza de su brutalidad, con un fusil en la mano y con licencia para matar. De nuestra parte, como de todos los desobedientes, también armados, pero de conciencia y de voluntad de justicia y paz.

Tras un año entero de esta lucha, hoy volvemos a reafirmar que al desobedecer las leyes que protegen la permanencia militar en la Isla Nena, cumplimos con el sagrado deber ciudadano que es, cuando poco, defender por todos los medios necesarios la vida y la dignidad de las gentes que viven hoy, así como convertimos nuestros actos en horizonte de esperanza para quienes vivirán mañana...

Entendemos el acto de no obedecer una ley injusta como un acto de conciencia y libertad, como un deber civil ético y político y, como tal, como un derecho democrático irrenunciable.

Y lo volvemos a decir: Creemos en la esperanza del pueblo viequense, porque es la misma esperanza en la que creen todos los pueblos que hoy luchan por una vida más segura, digna y de libertad. Nos hemos comprometido con la justa causa de estos esfuerzos civiles por rescatar las tierras ocupadas y maltratadas por la Marina de Guerra norteamericana. Es este un compromiso irrenunciable con la vida y el porvenir de las gentes que hoy habitan no sólo nuestra Isla Nena, sino todo el Archipiélago puertorriqueño...

La Marina de Guerra se quedará en Vieques tanto más como cada un@ y entre tod@s permitamos que se quede. Por esta razón apoyamos a los ciudadanos civiles que han permanecido al interior de la zona restringida por la Marina y promovemos reactivar masivamente los actos de desobediencia civil.

A tales efectos, el colectivo de resistencia de Amig@s de Vieques reanudaremos prontamente los actos de desobediencia civil y entraremos a la zona restringida por la Marina de guerra. La permanencia militar en la Isla Nena y las amenazas de reiniciar bombardeos son una promesa de poner en riesgo la vida del pueblo viequense entero. El acto de desobediencia seguirá siendo de nuestra parte una promesa por la vida y como hasta ahora, muestra de la integridad moral de este pueblo, del profundo respeto por la vida que siempre ha caracterizado a la nación puertorriqueña. La mejor manera de decir es hacer, como decía el poeta: seguiremos dándole cuerpo a nuestra voz y convertiremos en hechos concretos nuestra voluntad de justicia y paz, en actos de libertad nuestra conciencia. Esta lucha es de todos, para todos. Volvemos a entrar...

Tito Kayak ya había regresado antes a la zona de tiro, había logrado colocar una bandera de Puerto Rico en el cayo la Yayí y salir sin ser apresado. En esta ocasión entró nuevamente para sumarse a los compañeros que lograron ocultarse de los federales durante la operación de los desalojos y permanecían aún en la zona de tiro.

Comunicado de Prensa

"Desaparecido Tito Kayak en zona militar"

16 de mayo de 2000

Vieques, PR- El ambientalista Alberto de Jesús, mejor conocido como "Tito Kayak" está desaparecido desde hace más de 60 horas. El sábado 13 de mayo a las 12:15 de la tarde, Tito salió en su kayak por el área Norte de la isla de Vieques dirigiéndose hacia el área Este, donde estaban los campamentos de desobediencia civil. De Jesús iba con pocas provisiones y apenas una botellita de agua puesto que su intención no era permanecer en los campamentos escondido, sino hacer un acto de presencia para ser arrestado nuevamente por el acto de desobediencia civil.

Aproximadamente a las 4:30 de la tarde, el grupo Amigos de Vieques recibió la última comunicación telefónica de Tito en unos mensajes que el ambientalista dejó en el celular de Gazir Sued, portavoz del grupo. En su primer mensaje dijo: "...necesito que se comuniquen conmigo, creo que me cogieron, voy a esconder el kayak." En su último mensaje dijo: "llámenme, estoy aquí... Ay Dios mío..." Esa fue su última comunicación, luego de la cual su teléfono celular aparece desconectado.

Hay rumores en Vieques de que la Marina encontró una persona deshidratada en el mar y que se la llevaron en una barcaza, pero no hay confirmación oficial de esa información. Tampoco hay información del paradero de Alberto de Jesús (Tito Kayak) desde las 4:30 de la tarde del sábado. Por esta razón lo reportamos desaparecido y responsabilizamos a la Marina de cualquier daño que éste haya sufrido –denunció Sued-

Zoé Lugo, quien contrajo matrimonio con Regalado Miró en la playa la Yayí en el área restringida de la Marina (mientras estaba ocupada por los desobedientes) medita la noche antes de la entrada de los Jinetes por la Paz.

Jinetes por la Paz
Entramos y salimos ¡cuando queramos!

La madrugada del 18 de mayo, los jinetes por la Paz, de los colectivos de resistencia Amig@s de Vieques, del Cayo la Yayí y Monte Carmelo, volvimos a entrar.

Comunicado de Prensa
Entran Jinetes por la Paz

Miércoles, 17 de mayo de 2000

Vieques, PR – Un grupo de personas pertenecientes al Colectivo Amig@s de Vieques, al Colectivo de Resistencia Cayo La Yayí y al Monte Carmelo, penetraron hoy en la madrugada la Zona Restringida del Campamento García rumbo a la punta Este de la Isla Nena.

El grupo busca aumentar la presencia de manifestantes en el área de tiro para servir como escudos humanos que impedirán cualquier futura reanudación de los bombardeos. La intervención federal del 4 de mayo, no logró remover a todos los desobedientes. Varias personas quedaron apostadas en campamentos secretos que se encuentran en el área de tiro. Durante la pasada semana Carlos Zenón ha reportado consecuentemente que sus hijos Cacimar y Pedro aún permanecen en el área de tiro, entre otras personas.Luego de haber estado incomunicado y haber sido reportado desaparecido por más de 60 horas, el ambientalista Alberto De Jesús, conocido como Tito Kayak, logró ayer tarde llegar hasta el campamento secreto en donde permanecen los hermanos Zenón. Tito se unió así al grupo de manifestantes que aún permanecen en el área de tiro.

Regalado Miró (Rega) y Harry Félix Matta,

Regalado Miró, joven viequense que logró entrar hoy a la zona restringida indicó, "con nuestros actos de hoy buscamos que no quede duda alguna de que existen personas en el área de tiro. Sumamos nuestros cuerpos y nuestras voluntades a los grupos que han permanecido adentro desde antes del 4 de mayo y a los que hemos ido entrando desde entonces. Vieques ya ha sido libre y no dejaremos que nos la vuelvan a arrebatar."

Por su parte, Gazir Sued expresó, "Hoy volvemos a reafirmar que al desobedecer las leyes que permiten el bombardeo de la Isla Nena, cumplimos con el sagrado deber ciudadano que es defender la vida y la dignidad de quienes nos rodean." "La permanencia militar en la Isla Nena y las amenazas de reiniciar los bombardeos, a sabiendas de que habemos personas en el área de tiro, es una afrenta no sólo contra los viequenses, sino contra todo aquel que valora la salud, la paz y la dignidad humana," añadió Sued.

Harry Félix Matta, hijo del veterano luchador Viequense, Carmelo Félix Matta fue otro de los que se adentraron a la zona de bombardeo en el día de hoy. Sobre los actos Félix Matta indicó: "Entramos y salimos cada vez que tengamos que hacerlo... Si la democracia es la voluntad del pueblo y nuestro pueblo ha dejado saber una y otra vez que no permitiremos ni una bomba más, pues entonces los desobedientes son ellos que pisotean y desobedecen la voluntad de todo un pueblo."

Cuándo llegamos al área de los campamentos ya no quedaba nada. Aquí estaba "la escuelita", campamento del Congreso Nacional Hostosiano, las barracas de la resistencia y la capilla ecuménica.

Rega, del colectivo de resistencia del Cayo la Yayí, señala hacia el cayo.

...se lo habían llevado todo.

...de nuestro campamento quedaban sólo las ruinas.

...de entre las ruinas izaríamos sola nuestra bandera.

Vieques: carta desde la resistencia[1]

Por **Gazir Sued**

21 de mayo de 2000

Ya hay quienes presagian la derrota de esta lucha y como aves de mal agüero sobrevuelan los ánimos de resistencia, perturbando las voluntades que la mueven y hostigando las conciencias que la sostienen. Dicen en las calles que la gente se nos está rajando: buche y pluma na' más -como dice la canción-. Y es que tras el forzado desalojo de la zona restringida por la Marina de guerra norteamericana, la presencia en la Isla Nena se ha reducido significativamente, y eso afecta la moral del pueblo entero, su ánimo y su voluntad. Se ha retirado de esta lucha mucha gente, es verdad. Algunos dicen que para activarse en otros espacios, otros que para reflexionar sobre lo acontecido y lo que podría pasar, otros se van a insistirle compasión y amparo a Dios y otros dejan correr a la suerte lo que decidan las estrellas, o lo que es lo mismo, la contienda electoral: para idear actividades de apoyo y solidaridad con la causa -dicen unos-, para delinear una estrategia política más efectiva -dicen otros-. Tal vez...

[1]Artículo publicado en sección *En Rojo*, *Claridad*, 2 al 8 de junio del 2000.

Por lo general -nos dicen- la desobediencia civil no es lo único que se puede hacer: podemos hacer marchas, piquetes, enviar cartas al presidente y a los congresistas, conciertos y vigilias, rezar o cantar protesta, pintar las calles o tirar pancartas, entre tantas otras cosas. A fin de cuentas, todo tienen cabida en esta lucha; todo se vale (si se hace en paz -nos recuerdan-). Bien. Pero más de un año va desde que se inició esta fase de la lucha. Sesenta le precedieron. Y harto es sabido que tras el discurso de la estrategia política se acomodan muchos; que tras el reclamo de flexibilidad y paciencia se cuela la cobardía; que tras la exigencia de civilidad y prudencia se hace espacio la hipocresía...

Poco o nada nos queda por decir; demasiado nos falta por hacer. El momento histórico exige darle cuerpo y alma a las retóricas del valor y del sacrificio; su razón exige imaginación, creatividad, voluntad, en fin, terquedades y locuras -como las de Tito Kayak y Amigos del MAR-. ¿Cómo mantener viva la lucha? Manteniendo viva la resistencia. A quien no tenga el valor de sacrificarse -como decía Martí- digámosle que tenga la vergüenza de quedarse callado frente a quienes sí se sacrifican. Y -como dijo un amigo- a quienes no puedan ser solidarios con la causa de la Isla Nena –digámosle- ¡Coño! No sean traidores a ella...

Por lo demás, procuremos hablar menos de razones y causas, de evidencias, de principios y fundamentos, para dar paso a la palabra inquebrantable de nuestros actos...

Entremos y salgamos cuando queramos, que sin versos mayores también se hace poesía, que sin canciones escritas se escuchen las más hermosas melodías... de libertad. He visto a muchos retirarse, sí. Pero también he visto a mucha gente decidida a seguir resistiendo y luchando: entre ellas he visto a una anciana cargando en su piel todas las edades que le es posible soportar y enfrentar su bastón contra la verja de la milicia; y he visto a unos tantos que se han dejado arrestar, que han desafiado con valor e integridad moral la abusiva autoridad militar...

...y lo han vuelto a hacer y siguen dispuestos a hacerlo cien veces más; y he visto a doña María, con el corazón en la garganta, decirle a su hijo resiste y no te dejes agarrar y, si no puedes evitarlo, no rajes nunca tu dignidad. Yo he visto a niños y niñas muy pequeños cantar que se vaya la Marina, la Marina que se vaya; y a señores desconocidos y muy mayores apretar mi mano y la de mis compañeros y abrazarnos con toda la ternura de un guerrero viejo, siempre dispuesto a entregarse a la lucha también cien veces más; y he visto madres muy jóvenes llevar a cuestas sus hijos y salirle al paso a la fuerza militar; y he visto gente trabajadora de todo y cada cosa que ha arriesgado o hasta perdido sus empleos por estar donde entendían que debían estar, y a estudiantes abandonar sus estudios porque la urgencia del tiempo y sus historias dictaban que les tocaba la hora de luchar; yo he visto hombres fuertes del mar sudar de rabia y callar y murmurar en silencio: volvemos a entrar; yo los he visto hacerlo; yo he visto a mis familiares y amigos preocuparse y vacilar, pero siempre atentos a dar la mano firme e incondicional; y he visto entre ellos a mis compañeros de riesgos entregarse de lleno y por entero a la causa viequense y enfrentar con pasión a ese gran poder imperial y sonreír al miedo y decidirse a no rajar la resistencia y a continuar... yo he visto a soldados bajar de vergüenza las cabezas y a policías confesar solidaridad. Yo he visto a un amigo adolorido y enfermo y sin más que su voluntad guerrera estar dispuesto a cabalgar la madrugada y la mañana entera hasta ver ondear sola nuestra bandera; y he visto a una pareja recién casada impacientarse y tenerse que aguantar y aprender a esperar porque el momento dictaba a su amorío otra señal que vale toda la angustia de la espera; yo he visto callar a una mujer que amo y partir frustrada, dar media vuelta y en silencio volver a actuar; yo he visto muchas cosas que tienen que ver con la vida y nuestras luchas por la justicia y por la paz; yo he visto muchas cosas que son nuestra verdad; yo he visto, también, a mi padre llorar...

Para ellos, y para quienes hasta ahora han resistido, esta primera bandera. Para quienes todavía hoy resisten, que sirva de promesa de esperanza por lo que vendrá...

...los militares ya se acercaban demasiado. Nos siguieron por tierra y por aire, pero pudimos burlarlos. Entramos y salimos... ¡cuando queramos!

...en esta ocasión entramos y demostramos que podía hacerse. Pero no bastaba que fuéramos sólo unos cuantos. La presencia en el área de tiro debía masificarse si es que queríamos detener los próximos bombardeos. Sabíamos que era posible hacerlo, burlar la seguridad y llegar a la zona de tiro. Cuando salimos, lo hicimos decididos a darle continuidad a esta idea. Pero, nuevamente, no contábamos con los recursos materiales para hacerla realidad. Esta vez no contamos con ningún apoyo significativo y nos echamos a la suerte de nuestra voluntad. Las sillas de los caballos, viejas y maltrechas, estaban amarradas con sogas; algunos de los estribos eran hechos a mano y eso dificultaba el control de los caballos; no teníamos buenos radios de comunicación ni buen equipo para resistir las persecuciones o poder permanecer adentro por más tiempo. Para más decir, uno de los caballos era "prestado", sin que su dueño se enterase nunca dónde pasó aquel día su caballo.

No siempre era posible penetrar la zona por mar, pero a caballo se podía facilitar el recorrido, marcar rutas alternas y dejar provisiones en los caminos, así como dejar materiales de utilidad. Necesitábamos apoyo financiero para lograr nuestros objetivos...

Ya se cumplía un año desde que hicimos aquél primer concierto en el Teatro de la Universidad y pensamos que este era un buen momento para llevarlo a cabo nuevamente. Además, si el documental que llevábamos preparando por espacio de casi un año lográbamos terminarlo podríamos generar algún ingreso para costear la resistencia. Movimos cielo y tierra y lo intentamos otra vez: *Todas las voces por Vieques II: la lucha continúa.* Esta vez tampoco pudimos lograr nuestro objetivo.

***

Carta de cancelación concierto

9 de junio de 2000

Lamentamos informarte que el concierto ***Todas las voces por Vieques II: la lucha continúa***, programado para celebrarse el miércoles 21 de junio en el cuartel Ballajá, en el Viejo San Juan, ha sido pospuesto hasta nuevo aviso, por razones ajenas a nuestra voluntad. Al día de hoy no hemos conseguido ningún apoyo económico significativo para los costos de la producción del evento (local, seguro, sonido, tarima, luces, pantalla, proyector, y mil detalles más). No obstante, el día 3 de julio organizaremos una cantata/vigilia en el campamento Justicia y Paz (frente a los portones del campamento militar García) en Vieques. Ahí proyectaremos el video documental ***Vieques: crónicas desde la desobediencia*** y contaremos con la participación de varios artistas puertorriqueños que se han mantenido firmes y solidarios con la causa de la Isla Nena. Es importante que riegues la voz y que este día estés presente en la vigilia. Recabamos tu apoyo con urgencia para costear los gastos de esta actividad y otras próximas. Si te interesa involucrarte en la coordinación de otras actividades déjanos saber a: gazir@caribe.net o comunícate al 634-0021.

Carta para finanzas del documental ***Vieques: crónicas desde la desobediencia***

12 de junio de 2000

A quien pueda interesar:

Desde abril del año pasado, tras la muerte de David Sanes, se inició una nueva fase en la lucha que por más de sesenta años ha librado el pueblo viequense por sacar a la Marina de guerra norteamericana. Esta lucha ha estado basada, en gran parte, en la puesta en acción de la desobediencia civil en las zonas restringidas de la Marina, con el fin de detener en definitiva los devastadores y mortales bombardeos. El Colectivo de Resistencia Amig@s de Vieques ha sido parte de ese proceso y, paralelamente, hemos estado realizando una presentación fílmica digital desde y sobre esta lucha. La presentación ***Vieques: crónicas desde la desobediencia***, la cual siendo parte del proceso mismo ha estado en constante elaboración, ha sido presentada en varios recintos universitarios, en actividades de solidaridad con la causa, en plazas públicas, cafés, teatros, escuelas, iglesias, actividades sindicales, ambientales, etc.

Esta presentación, aún no estando terminada, ha sido parte integral de nuestras luchas por la justicia y la paz en Vieques, pues ha servido de marco histórico, informativo y documental en múltiples escenarios locales e incluso en otros países. El objetivo que nos trazamos al hacerla es, desde un principio, educar y sensibilizar en torno a los efectos que la presencia militar y sus prácticas bélicas han tenido sobre la salud y el ambiente en la Isla Nena, así como representar visualmente las múltiples luchas que nuestro pueblo ha dado por el derecho a la vida y la seguridad en la isla municipio y las solidaridades que se han activado en torno a las mismas. La perspectiva general se ha desarrollado desde la participación activa en los actos de desobediencia civil, pues mantuvimos, desde mediados de septiembre del año pasado, un campamento del que también fuimos desalojados.

La intención principal de la presentación ***Vieques: crónicas desde la desobediencia***, sigue siendo la de abrir espacios para la integración activa y efectiva de nuestro pueblo en esta lucha. La perspectiva desde la que trabajamos esta presentación se da a partir de nuestra experiencia de un año entero en desobediencia civil en las zonas restringidas por la Marina de guerra norteamericana, las incontables tensiones e incertidumbres por las que atravesamos, así como las ilusiones y esperanzas que han mantenido animada nuestra participación en esta lucha. De igual modo, documentamos y exponemos ideas para que se realicen otros actos concretos basados tanto en los principios democráticos de la desobediencia civil como en las posiciones políticas, éticas, morales y religiosas de la solidaridad con las causas justas. Hemos procurado representar la voluntad general que ha permeado esta lucha, desde la resistencia en los campamentos de desobediencia hasta los movimientos de apoyo y solidaridad que se han dado local e internacionalmente. Del mismo modo señalamos los obstáculos, las actitudes y tranques a los que nos ha expuesto la Marina de guerra y el gobierno federal y local. Para tales efectos hemos integrado recortes, encabezados y fotografías de la prensa local. No obstante, la tarea de recopilación y organización de información, las fotografías y el pietaje, el diseño gráfico y el arte visual en general han corrido por nuestra parte.

El mensaje central es uno de unidad en la lucha por la justicia y la paz en la isla de Vieques, por el derecho a la vida y la seguridad, por el respeto a nuestra dignidad como pueblo. Tras el forzado desalojo de los desobedientes en la zona restringida, la lucha por sacar a la Marina de guerra se mueve a otra fase. Estamos convéncidos de que la presentación ***Vieques: crónicas desde la desobediencia*** sigue siendo, más que una aportación a la memoria histórica de nuestro pueblo, una pieza clave para mantener animada y viva la resistencia y la lucha. Sin embargo, actualmente el formato de la misma no es del todo accesible, pues su elaboración ha sido casera y los medios que utilizamos son en extremo limitados y limitantes. Queremos prepararla para que la misma pase a manos de la mayor cantidad de gente posible, no sólo para uso personal sino para ampliar indefinidamente su exposición. Es para tales efectos que solicitamos urgentemente aportaciones económicas y de cualquier otra índole que se estime pertinente. Queremos distribuirla y aprovechar la oportunidad para recaudar fondos y donativos para dar continuidad a esta lucha. Sobre todo ahora, cuando es inminente, nuevamente, el reinicio de los bombardeos.

La petición de apoyo que hacemos tiene, pues, un carácter de urgencia. Amig@s de Vieques es un colectivo de ciudadanos auto- gestado, compuesto en su mayoría por estudiantes universitarios, sin ingreso económico estable ni seguro. Hasta ahora hemos hecho de tripas corazón. Además, parte integral del formato de la presentación es la música. Amig@s de Vieques, además de los talleres y actividades de desobediencia civil y solidaridad, presentamos una serie de conciertos (*Todas las Voces por Vieques* en el Teatro de la Universidad de Puerto Rico en junio del año pasado y *Un Canto Urgente para Vieques* en la Plaza de Vieques en julio pasado, entre otros eventos). Dada esta experiencia, pensamos que la presentación ***Vieques: crónicas desde la desobediencia*** debería incluir a canta-utores e intérpretes nacionales. Para cumplir este objetivo debemos costear los gastos de un estudio de grabación, una razón más por la que solicitamos apoyo financiero de su parte.

Mantenemos firme nuestra determinación de continuar en esta lucha. Recientemente entramos a caballo en la zona restringida por la Marina, fotografiamos el área devastada de los desalojos e izamos una bandera puertorriqueña en el área de los que otrora fueron nuestros campamentos de desobediencia civil. Seguiremos haciéndolo, aún a riesgo de las consecuencias. Para organizar actividades de esta índole, así como para realizar otras como la reciente puesta de las pancartas gigantes en el Expreso Las Américas y las lanzadas desde la torre de construcción (250 pies de altura) frente a los muelles del Viejo San Juan durante la Regata 2000, necesitamos apoyo financiero. Además, a finales del presente mes proyectamos realizar la Gala Premier del documental ***Vieques: crónicas desde la desobediencia,*** en una velada multimedia en donde compartiremos con todos ustedes el resultado de la unión de nuestros esfuerzos por contribuir a la memoria histórica del pueblo puertorriqueño. Los costos son un tanto elevados pero entendemos que vale la pena darle a este trabajo una presentación que reconozca el valor del esfuerzo y a la vez sirva para recaudar fondos para costear las próximas manifestaciones de solidaridad con el pueblo viequense y nuestras luchas por la justicia y la paz en la Isla Nena. Contamos con tu contribución solidaria, que es sólo una manera más de participar en la lucha reivindicativa del pueblo viequense. Si no tienes los medios económicos para colaborar pero se te ocurren otros modos de aportar en alguno de estos proyectos, por favor comunícate con nosotros...

Invitación a la presentación del documental *Vieques: crónicas desde la desobediencia*

20 de junio de 2000

A quien pueda interesar:

Durante las pasadas semanas el colectivo de resistencia Amig@s de Vieques ha estado organizando una serie de actividades con el fin de mantener animadas las manifestaciones de solidaridad con la lucha que se libra en la isla de Vieques así como, principal-mente, para dar continuidad a las resistencias que mantienen vivas las esperanzas puestas en esta lucha. Recién nos enteramos que la Marina de Guerra norteamericana se dispone a reiniciar los bombardeos esta misma semana, empezando el miércoles 21 de junio. Es una mala noticia, de hecho. Pero no debe sorprendernos y mucho menos debemos reaccionar desesperadamente. La urgencia del momento exige que aceleremos el ritmo de nuestras acciones sin duda, pero también exige mayor cautela y prudencia. La primera virtud de un guerrero es la paciencia y esta se pone a prueba cuando está inmersa en la mayor adversidad. Así, pues, las acciones que decidamos emprender deben ser parte de una estrategia de lucha y resistencia a mayor plazo. Creemos que para detener los bombardeos es preciso intensificar los actos de desobediencia civil en las zonas restringidas, en particular en el campo de tiro. Lo ideal, desde esta perspectiva, sería movilizarse masivamente, penetrar el área de tiro y permanecer en ella como escudos humanos; esperar los arrestos y no colaborar en el proceso de detención, es decir, resistir pacíficamente cuando menos quedándonos sentados, inmovilizándonos. Paralelo a ello deberían haber manifestaciones y concentraciones masivas de apoyo y solidaridad con los actos de resistencia a lo largo de todo Puerto Rico. Recuerda que los bombardeos están adecuados a un calendario muy rígido y las prácticas están programadas para durar de dos a seis días. Cada día que interfiramos efectivamente con las maniobras militares será un día menos de bombardeo, un día más de paz en la isla de Vieques. El acto de desobediencia civil es un acto personal, de conciencia. En este momento uno solo no podrá hacer gran cosa, es verdad, pero uno solo sumado a los demás sí puede hacer gran diferencia. Sé parte de la resistencia. Hay mil maneras de apoyar.

Este jueves 22 tenemos programada la primera presentación en Puerto Rico del video documental *Vieques: crónicas desde la desobediencia*. La misma ha sido presentada durante esta pasada semana en la ciudad de Nueva York y nos place dar a conocer que la comunidad en NY que la ha visto ha expresado su entera solidaridad con nuestras acciones y expectativas de lucha. La actividad, que se realizará en el Colegio de Abogados a las 7:30 de la noche sigue en pie. Sólo que ahora su carácter de urgencia es mayor. La presentación servirá solo de pretexto para reunirnos, idear y organizar conjuntamente una estrategia inmediata de resistencia ante la inminencia de los bombardeos. Déjanos saber inmediatamente si recibiste esta carta y si estás interesado en asistir a esta actividad. Riega la voz. Estamos pidiendo un donativo de $10 dólares para costear los gastos de la producción, de la actividad y de las próximas a realizarse. El video documental que exhibiremos estará a la venta por un donativo de $10 dólares. Nuestra organización no tiene otro fin que dar continuidad a esta lucha, que es de tod@s, para tod@s. Contamos con tu apoyo...

Comunicado de Prensa

22 de junio de 2000

San Juan, PR.- Esta noche, en el Colegio de Abogados en Santurce, a las 7:30PM, el Colectivo de Resistencia Amig@s de Vieques presentará el video documental *Vieques: crónicas desde la desobediencia.* Este filme preparado desde la experiencia de resistencia pacífica realizada por más de un año en las zonas restringidas por la Marina de guerra norteamericana, relata visualmente la experiencia de este episodio en la lucha que libra el pueblo viequense por la justicia y la paz amenazada constantemente por los bombardeos de la Marina de guerra, la solidaridad nacional entre los diversos sectores civiles, políticos, sindicales, estudiantiles, ambientalistas, religiosos, con la causa, así como representa el contraste con las insensibles posiciones de la jerarquía militar y el gobierno federal y la consecuente destrucción ecológica de sus prácticas bélicas. Además del documental estaremos exhibiendo una colección de fotografías que representa la experiencia nacional colectiva vivida tanto desde los campamentos de desobediencia civil en Vieques como en la Isla Grande. Dada la inminencia del reinicio de los bombardeos el espacio de la actividad se abrirá para la participación y discusión abierta de actividades de apoyo a la causa viequense y de oposición a los bombardeos. En la misma contaremos con la presencia de personas que han sido removidas y procesadas por el gobierno federal por realizar actos de desobediencia civil a favor de esta causa. Esta actividad estará amenizada por el cantautor puertorriqueño Gamaliel Pagán y otros artistas puertorriqueños.

¡Contamos con tu apoyo!

...al día de hoy todavía no hemos podido financiar los costos de producción del video documental. Lo más que pudimos lograr fue convertirlo en video casero y reproducirlo así mismo.[2] Esa misma semana, tras reiniciarse los bombardeos, entraríamos nuevamente los Jinetes por la Paz. Esta vez seríamos arrestados y, poco después, encarcelados...

Cano, Tito, Rega, Gazir, Josué y Jalil, en Monte Carmelo.

[2]Melba Miranda nos ayudó enormemente con lo que pudo, consiguiéndonos un tiempo en estudio para hacer los efectos de sonido y voces de la película. Juan Belgodere, de Digitec, nos dio de su tiempo para ello. También colaboró Juan C. Sánchez y José A. Rivera, de Mega Post & Graphics, donde filmamos la presentación directamente de la pantalla de la computadora al video.

27 de junio de 2000
Jinetes por la Paz

¡Volvimos a entrar!

Jinetes por la Paz

relato de una promesa puesta a actuar[1]

por **Gazir Sued**

30 de junio de 2000

Eran ya pasadas las cinco de la mañana cuando logramos penetrar al área restringida por la Marina de guerra. Varios intentos antecedieron nuestra misión de paz. La vigilancia por todo el perímetro de la zona militar fue burlada exitosamente. Fueron noches de mucha ansiedad. El fin de semana ya había terminado y demasiada gente se regresó a sus quehaceres cotidianos, con la esperanza puesta en que la Marina no iniciaría todavía los bombardeos. La noche antes Carmelo había regresado de una larga ausencia y ya sus muchachos lo esperaban. Fue la noche de nuestro primer intento. La vigilancia nocturna hacía parecer impenetrable la zona. En pocos minutos fueron capturados casi cincuenta compañeros y la caballería tuvo que retirarse. Cinco lograron escapar y penetrar a pie y sin otra carga que la de una noble determinación de paz: llegar al área de tiro. El domingo en la mañana parecía que nada nuevo pasaría. La amenaza de los bombardeos seguía asechando pero el pueblo parecía ignorarla con una tranquilidad tal, que pareciera ser que de tanto haber sido engañado hubiera decidido no creer nada al que tantas veces y por tanto tiempo le ha mentido...

[1]Este artículo fue publicado en el semanario Claridad del 7 al 13 de julio mientras Alberto de Jesús, Johny Alverio, Gazir Sued y cerca de cien independentistas del PIP estaban prisioneros en la cárcel federal por negarse a pagar la fianza impuesta por el tribunal federal.

Gran parte de las solidaridades que viajaron ese fin de semana se devolvieron a la Isla Grande. Pasado el mediodía me detuve en el cuartel de la policía a verificar si la Marina ya había cumplido el requisito legal de avisar previamente el reinicio de los bombardeos. Perdido entre los demás papeleos de un tablón en el cuartel, la Marina de guerra anunciaba para el martes en la mañana el bombardeo. Subí a Monte Carmelo a avisar a quienes quedaban y mientras lo hacía, antes que la lancha de la una de la tarde llegara a Fajardo, empezamos a escuchar el bombardeo. Otra vez más, mintieron...

Tito Kayak agarró apresuradamente lo poquito que tenía y empezó a bajar el largo y polvoriento pedregal del camino para cumplir su promesa: primero preso o muerto antes que permitir el bombardeo. Avisé inmediatamente a Justicia y Paz lo que sorpresivamente logró colmar de rabia nuestras paciencias. Volvimos a ensillar los caballos. Millito y Rega no tardaron en llegar. Jhonny, sin saber cabalgar se ofreció a sumarse a la jornada. Los bombazos fueron su llamado. Recorrimos los caminos, hicimos caminos nuevos. Escondimos los caballos y entramos con machetes en mano para hacer rutas nuevas. Salimos y volvimos a entrar hasta encontrar el lugar preciso por donde entraríamos hasta el final. Entrada la noche completados los preparativos y con la bendición de María (la compa de Carmelo) empacamos todos nuestros ánimos de paz, que nos harían compañía la madrugada que al fin pudimos entrar. Nos apresuraba una ansiedad guerrera, pues lo que hacíamos lo hacíamos a sabiendas que pronto se reanudarían las prácticas bélicas. Otra vez, volvimos a entrar. Decididos a detener con nuestros cuerpos los bombardeos traspasamos la verja militar y a caballo echamos nuestras suertes a andar...

Pasaron varias horas ya salido el sol cuando nos topamos que al final de un camino había un campamento militar y que no tendríamos otra posibilidad que acercarnos con cautela y de ser sorprendidos seguir decididos "pa'lante y con fe" -como dice la canción.- Así lo hicimos. No nos dejaríamos coger a las buenas. Ese era el pacto de resistencia. Para mal de nuestras suertes fue una mujer viequense que trabajaba de guardia para la Marina quien nos vio pasar. Le pedimos solidaridad mientras dos de nuestros caballos se enredaban entre las navajas de serpentina. Fue ella quien avisó a los soldados. Aún así, recuerdo su rostro y no puedo pensar en una traición. Sólo en un lamento de frustración...

Aceleramos el paso hasta lo más que nuestros caballos podían y aún más. Varios minutos pasaron cuando ya teníamos a los soldados tras nosotros. Teníamos de frente un largo camino, sin salida alguna. Nos persiguieron hasta casi arrollar a Johnny, que quedaba atrás. Cayó del caballo y lo apresaron. Quedamos cuatro para lo que nos faltaba. Eran las ocho de la mañana. Nos desviamos por una pequeña entrada que daba a la playa, con la esperanza de que el vehículo de motor no entraría. Harry siguió solo el camino principal y lo perdimos. El camión militar lo siguió. Seguimos bordeando la costa a toda velocidad y de los arbustos nos sorprendió un grito. Era Tito escondido, descalzo, sin agua y sin haber comido. Entre fatigas y abrazos, segundos después, apareció el helicóptero militar y revolvió el aire tempestuoso de sus hélices sobre los arbustos que nos protegían. No podíamos delatar el refugio de Tito, le dejamos provisiones y seguimos nuestro camino con todas las prisas de antes. Tito seguiría determinado a parar el tiro...

Al final de la playa no había camino a seguir. Cruzamos por los arrecifes hasta la próxima playa, mientras el helicóptero seguía hostigándonos encima, apuntando cada uno de nuestros movimientos. A la distancia se veía la mujer que guardaba la seguridad de la milicia y en los caminos altos más vehículos militares. En la distancia contraria vimos una figura que caminaba jadeante entre los arbustos y la playa. Era Harry. Había perdido su caballo. Lo habían acorralado pero pudo escapar. Para nuestra suerte el caballo de Johny nos seguía. Rega agarró las riendas y sin silla de montar Harry se sumó a la carrera que todavía le faltaba un largo trecho para concluir. Cruzamos otra playa más y las posibilidades por mar se nos cerraron. Dejamos a sus suertes los fieles caballos y nos perdimos entre la maleza. Ya los militares habían bloqueado toda la comunicación de celulares y radio. Seguimos combatiendo el cansancio hasta que nos emboscaron. Todavía no sabían con certeza dónde estábamos aunque sin duda alguna, de un momento a otro, nos encontrarían. El delator fue un viequense, vecino de años, de crianza amiga. Millito y Rega lo conocían. Por el monte bajaban dispersos hacia nosotros los soldados mientras nos esposaba el guardia viequense. Sin cruzar palabras ni miradas desafiantes nos entregamos a su conciencia...

Los militares nos despojaron de todo y nos llevaron hasta la base militar del campamento García. Cientos de militares, equipos sofisticados, radares, vimos en los caminos. Tan pronto llegamos y nos detuvimos escuchamos las primeras detonaciones de la mañana. Sentimos que habíamos perdido...

Horas después, bajo el candente sol y el gran dolor de tener las manos atadas y las ganas vivas de escapar para volverlo a intentar, nos llevaron al área oeste. Cuando salimos por el portón principal gritamos consignas que movieron a las gentes del campamento de Justicia y Paz y el ruido del camión militar se opacó cuando se volcaron a gritos de solidaridad. Nos miramos decididos a saltar cuando inmediatamente bloqueaba nuestra salida la fuerza de choque local, que escoltó a los militares hasta el muelle. Convenimos dejar correr el día y sus suertes. Una hora después nos subieron y llevaron en un catamarán del hotel El Conquistador hasta la base Roosevelt Roads en Ceiba donde ya habíamos estado antes. El procedimiento fue similar al día de los desalojos. Nos negamos a colaborar. Recuerdo que todo el tiempo, desde que nos apresaron en terreno militar, había un tipo filmando todo. Nos llevaron individualmente a pedir información y a tomar fotografías. Nos tapamos los rostros y callamos lo demás. Tenían varios albumes grandes llenos de caras conocidas. La Marina tiene fichada a la gente. Nueve horas después llegaron con Tito y con

Andrés, el hermano de Harry. El hermanito había visto nuestros caballos cerca del Monte Carmelo y se lanzo a buscarlos cuando lo sorprendieron y lo apresaron. Tito llegó cubierto en un abrigo militar. Le desgarraron su ropa al apresarlo. El helicóptero lo volcó del Kayak y lo acorralaron en la playa...

Llegaron los Marshalls para llevarnos a la cárcel federal. Ya había caído el sol. Nos procesaron, tomaron información personal, nos ficharon, tomaron huellas digitales y fotografías. Allí nos enteramos que más de cien personas habían entrado a la zona restringida. Celebramos como mejor se podía. Extenuados, mal comidos y en una pequeña celda fría, reavivamos los ánimos cantando consignas y procurando hacer mucho ruido. Nos llevaron a nuestras celdas y allí dormimos. Ya a las cinco y media de la mañana nos despertaron y ya a las siete estabamos en otra celda en la corte federal de Hato Rey. Allí estuvimos hasta las cinco de la tarde cuando por fin atendió nuestro caso la Jueza. Quiere que el viernes paguemos mil dólares de fianza, sujeta esta a condiciones como no volver a Vieques. Afuera se escuchaba la muchedumbre solidaria y en la entrada de la sala del tribunal nos esperaban nerviosos y ansiosos amigos y familiares...

Esta mañana vuelvo a Vieques. El viernes apareceremos los que fuimos jinetes por la paz en el tribunal federal: Nos negaremos a pagar por actuar de acuerdo a lo que creemos justo; nos negaremos a alquilar nuestro derecho a desobedecer las leyes injustas, nuestro deber de regirnos por nuestros principios de paz; nos negaremos a ponerle condiciones a nuestra conciencia; nos negaremos a ponerle precio a nuestra libertad...

...y si alguien nos pregunta, le diremos sin vacilar: si esta lucha lo precisa, cien veces más volveremos a entrar...

Carta de Gazir Sued a la Jueza Federal

Fianzas de $1,000 para desobedientes

Más severo el castigo federal

OSCAR J. SERRANO
PRIMERA HORA

LA FISCALÍA Federal volvió a fortalecer ayer sus medidas para

iba a estar en efecto "por esta temporada", en referencia a la reanudación de las maniobras. El reinicio de las maniobras también influenció la imposición de

teros y buzos en la operación que terminó cuando la embarcación en la que iba el ambientalista se volcó.

Así lo indicó su abogada, Linda

gado tejano Raúl Maxwell Anthony.

El portavoz de la Marina, Jeff Gordon, dijo que el total de arrestados ya suma 646 y que la incur

A quien pueda interesar:

Esta carta será hecha llegar esta tarde a la jueza federal Aída Delgado, quien ordenó pagar fianza de mil dólares a los cinco jinetes por la paz de Vieques e incluso condicionó la misma a no volver a entrar a la hermana isla. Esta carta la escribí anoche en Vieques y esta mañana antes de mediodía la llevé al tribunal federal en Hato Rey. Esperamos la decisión de la jueza, que podría ser o no imponer restricciones a nuestra libertad hasta el día del juicio o emitir órdenes de arresto. Sea cual fuera la determinación continuaremos en pie de lucha...

Siempre,

***

Viernes, 30 de junio de 2000

Señora Jueza:

Comparecemos voluntariamente ante este tribunal como fue convenido entre nuestra representación legal y su persona. Comparecemos voluntariamente a someter las suertes de nuestra libertad a su conciencia. Y decimos a su conciencia y no a la ley, porque sabemos que no existe, o no debiera existir, ley alguna que penalice a quien actúa de acuerdo a sus creencias, a sus convicciones, a lo que dicta su conciencia. Sobre todo cuando esta conciencia tiene que ver con eso que llamamos justicia, con eso que llamamos paz. Por lo menos no debiera existir ley represiva alguna en una sociedad que presume de ser democrática y defiende los principios de los derechos de justicia, de seguridad y de paz.

Es por esta razón que hoy comparecemos en este tribunal, pues fuimos detenidos por actuar de acuerdo a nuestra conciencia en el mismo instante en que era puesta en riesgo la seguridad, la paz y la vida misma del pueblo viequense, cuando ilegalmente y sin previo aviso la Marina de Guerra norteamericana reinició el bombardeo.

No creemos justo que se nos imponga ninguna restricción a nuestra libertad, sobre todo porque hacerlo en este momento sería poner una restricción a nuestro derecho inalienable de actuar de acuerdo a lo que entendemos justo, es decir, de actuar en armonía con lo que dicta nuestra conciencia.

Sabemos de la marcada diferencia que existe de facto entre el derecho constitucional norteamericano y el puertorriqueño. Sin embargo, sabemos también que los principios de justicia que rigen a ambos son en esencia idénticos. Es en este mismo espíritu que no rechazamos nuestro derecho a la fianza, sino que nos negamos a ponerle un precio a la libertad de actuar de acuerdo a nuestros principios de conciencia.

Imponernos una fianza no es necesario. Imponernos una fianza a sabiendas que por los principios mencionados nos negamos a prestar, sería imponernos una pena de cautiverio sin razón alguna. Sin razón alguna pues estaría basada no en nuestra peligrosidad, pues no somos criminales, sino en una desconfianza prejuiciada sobre el valor de nuestra palabra. Nuestra palabra ciudadana la damos como compromiso a comparecer a juicio en el día, el lugar y la hora que este tribunal o su persona dispongan. No creemos justa ninguna restricción a nuestra libertad pues mediante estas palabras reafirmamos nuestro compromiso de participar del proceso judicial y someternos al debido proceso de ley, que es el precio a pagar por actuar como ciudadanos, seres humanos de principios y conciencia.

Señora Jueza, si usted determina lo contrario, estamos dispuestos a ser encarcelados. No porque creamos justa su determinación sino porque tampoco la amenaza de cárcel intimidará nuestras conciencias. Si somos encerrados por no prestar fianza, esta injusticia nos convertiría en prisioneros de conciencia. Y en estos días, ante la grave situación por la que atraviesa el pueblo viequense entero, por los riesgos a la seguridad y a la vida que implican los bombardeos, es poco precio a pagar.

Nuestro compromiso de conciencia, enraizado en los principios de justicia y paz, es y seguirá siendo detener en definitiva los mortales bombardeos de la fuerza militar. Ya cesaron. Y cada día que no haya bombardeo en Vieques, será un día más de paz en esta hermana isla. Eso lo celebraremos aunque sea encerrados en una celda fría.

Señora Jueza, si nos hace arrestar por no prestar fianza, sepa que encerrará sólo un pedacito de nuestra libertad, mas nunca la voluntad de seguir en esta lucha, que es dictada por nuestra conciencia, que es una lucha justa, que es una lucha por la paz.

Señora Jueza, en su conciencia queda...

EL NUEVO DIA / sábado, 1 de julio de 200

Orden de arrestos

Por Juanita Colombani

El Nuevo Día

ALGUACILES FEDERALES comenzaron a diligenciar ayer tarde 123 órdenes de arrestos emitidas contra miembros del Partido Independentista Puertorriqueño (PIP)

***

...el primero de julio el tribunal federal emitió orden de arresto para todos los que nos negamos a pagar la fianza. A pesar de la prohibición, nosotros ya habíamos partido nuevamente para Vieques. Todavía quedaba demasiado por seguir haciendo...

3 al 5 de julio de 2000

Un Canto Urgente por la Paz[2]

por **Gazir Sued**

7 de julio de 2000

A la noche del tres de julio ya llevaba varios días sitiado el Monte Carmelo por la Fuerza de Choques de la Policía de Puerto Rico. Los caminos de estas tierras, rescatadas hace casi tres décadas del poderío militar por los viequenses, fueron bloqueados por barricadas policiales. ¿La razón? Proteger la verja militar de nuestras voluntades determinadas a seguir abriéndole caminos a la paz en Vieques. En estos días ya el superintendente de la policía había dejado saber que le pasaría la cuenta a la Marina de guerra pues apenas daba abasto el presupuesto para pagarle a las decenas de efectivos de la uniformada asignados para proveer seguridad y vigilancia privada al campamento militar. De nuestra parte, allí, en casa de María y Carmelo, nos seguiremos quedando...

Esa mañana del tres preparamos una pantalla con las maderas que pudimos encontrar y esa misma noche nos movimos al campamento de Justicia y Paz a presentar el documental que preparamos el Colectivo de Resistencia Amig@s de Vieques, Vieques: crónicas desde la desobediencia. Una cosa valga tener en cuenta y de seguro, que la policía que estuvo presente vio el documental y que cada uno tiene en su conciencia todo lo que se necesita saber para sacarle una lágrima a una piedra. De no ser, claro está, que alguien entre la policía tuviera petrificada el alma...

Más de doscientas personas asistieron esa noche del lunes. Después de esta narrativa visual de nuestras experiencias por un año en las zonas restringidas de la Marina de guerra norteamericana iniciamos un acto en solidaridad con los prisioneros de conciencia que aún permanecen encerrados en la cárcel federal. Todo el mundo de pie y con las manos juntadas en un ensordecedor silencio dimos la cara a la fuerza de choque. Entre las palabras dichas dejamos saber que no existe cárcel alguna que pueda contener nuestra determinación de seguir adelante con esta lucha, que la fuerza militar podrá encarcelar nuestros cuerpos más nunca nuestra voluntad de justicia y de paz...

---

[2]Este artículo fue escrito el mismo día en que los marshals federales me arrestaron. Fue publicado en el semanario Claridad del 21 al 27 de julio.

Mila y Pilli entonaban a nuestras espaldas la melodía de Niña del Mar, escrita por ellas, mientras yo cruzaba entre las manos solidarias a izar nuestra bandera en la verja militar. Crucé la calle y me acerqué a la barricada de la policía con una mano descubierta y otra con la bandera. Hablé con cada uno de *ellos*. Les pregunté si sabían por qué hacíamos lo que hacíamos, por qué estábamos donde estábamos, por qué arriesgábamos lo que arriesgamos. Muchos reaccionaron con expresiones de ambivalencia, otros mostraban tímidamente saber pero no poder o no atreverse a hacer otra cosa que seguir órdenes, que obedecer. Otros, como lamentablemente siempre, mostraron con fronte la más fría indiferencia. A cada uno les dije que iba a intentar cruzar y poner la bandera puertorriqueña en la verja militar. ¿Sabes por qué lo hago? -pregunté a cada uno-. ¿Sabes que es por nuestros hermanos aprisionados por los federales? ¿Sabes que el delito del que son acusados es el de tener conciencia, que es la misma que les dicta como a nosotros que luchemos por la justicia y por la paz en esta tierra? Tú, ahora que sabes lo que sabes -insistí- ¿qué vas a hacer? ¿Me permites pasar? ¿Sabes que voy a intentar cruzar? Casi todos hicieron gestos de comprender, mas ninguno la más remota disposición a cambiar de parecer. Ninguno vaciló en impedir que se culminara el acto. Lo vieron con sus ojos, lo escucharon con sus oídos por voz de los oradores, de los poetas y de los cantores, se les entregó por escrito, se les habló de frente con la más cruda claridad, porque es la única manera que se puede apalabrar a Vieques. Se les dijo todo lo que puede ser dicho. Quien tenga entendimiento, que entienda. Quien tenga corazón, que sienta...

Me impidieron la entrada y a las buenas y sonriente di media vuelta: ¡Seguiremos intentándolo! -grité-. Gamaliel y los muchachos de Iyawó siguieron cantando con urgencia por la paz en Vieques...

El cuatro de julio nos sumamos al cordón humano convocado por las mujeres viequenses.

Poco después de mediodía, durante un habitual piquete, fueron sorprendidos los militares cuando un grupo de estudiantes de la escuela de derecho de la iupi, junto a otros civiles, aparecieron gritando consignas por el mismo medio del camino principal del campamento militar. Lograron llegar al portón de entrada o de salida militar y allí fueron aprisionados.

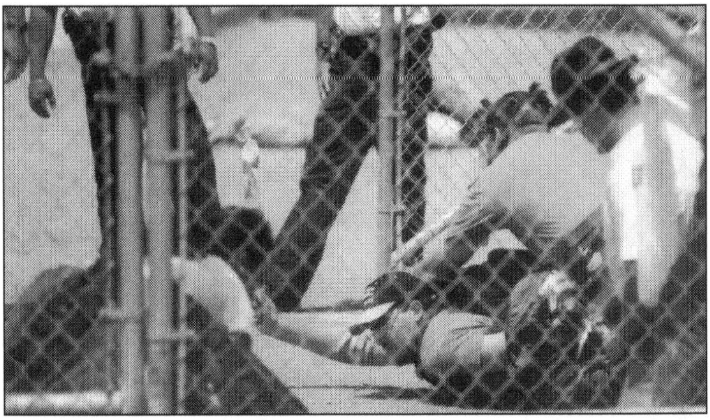

El trato para las detenciones fue ridículo. No quisiera tener que ofender a los gorilas ni tampoco usar la comparación con la caricatura de un cavernícola, así que diré que actuaron tal y como lo hace un muy moderno policía militar: con violencia y brutalidad. Rociaron gas lacrimógeno sin razón alguna. El gas se esparció por toda el área donde se encontraban, además, envejecientes y niños muy pequeños. Alba abrazó a una pequeña que apenas le llegaba a la cintura y que lloraba por el gas militar. Los demás, entre el ardiente picor y la rabia aguantamos las ganas de darnos a respetar.

Los policías que permanecieron inmóviles como cadáveres de hierro, recibieron igual trato. Mientras tanto, esposaron a los desobedientes y los acostaron boca abajo en la tierra, aunque nadie en ningún momento hizo el menor aguaje de intentar escapar. Se los llevaron por varias horas. Afuera, en solidaridad, permanecimos esperando...

Varias horas más tarde se triplicó la presencia de los efectivos de la policía. No hubo rotación. Hacía cada vez más calor. La muralla robótica de azul crecía bajo el candente sol. Esta movida anunciaba que ya iban a sacar a los compañeros aprisionados para llevarlos al otro lado de la isla y de ahí a la base militar en Ceiba. Nos preparamos para apoyarlos. Abrieron los portones militares y la escolta policial se preparó también. La guagua en donde los tenían prisioneros salió del campamento militar y seguidamente nos paramos de frente a impedir el paso y exigir que los liberasen. La fuerza de choque nos cruzó para hacerle paso a la guagua militar. Nos sentamos en la calle para impedir el paso y nos sacaron por la fuerza. Sacaban a uno y mientras sacaban al otro el uno volvía a entrar. Eso es determinación de lucha, eso es darle cuerpo al sentimiento de solidaridad. Pero a las mujeres que también lo hicieron el trato fue desigual. Selectivamente y sin razón alguna -que no fuera ingenuamente pretender intimidarlas y hacerlas rajar sus voluntades de continuar- las rociaron con la mezcla de pimienta.

Carmen se escabulló y corrió sola tras la guagua militar hasta que no pudo más. Los demás nos atendimos a toda prisa mutuamente y sin vacilar. Todo volvió a la habitual (a)normalidad. No había prensa presente y a los ojos del mundo en Vieques, el cuatro de julio, fue solo un día más..

POLICIA

No tardaron mucho en contener nuestra resistencia, es verdad. A los muchachos detenidos, esta vez, se los pudieron llevar. Me pregunto, qué hubiera pasado si hubiéramos sido muchos más...

Hoy me enteré que los soltaron, sin imposición de fianza alguna. Hoy me enteré que los independentistas permanecerán encerrados sin una fecha fija. Hoy también me enteré que a nuestro querido hermano Tito Kayak le espera una suerte incierta para su libertad. Tengo en mis manos su ropa desgarrada por los militares cuando lo apresaron el mismo día que nos apresaron a los jinetes por la paz. Nosotros tampoco pagamos la fianza y esperamos las ordenes de arresto como los demás. Me vuelvo a preguntar, qué pasaría si en verdad fuéramos muchos más...

***

...hicimos lo posible para que los visuales que pudimos sacar del incidente llegaran a tiempo a la Isla Grande. Para los medios de comunicación, al parecer, después que ha pasado un día las cosas dejan de ser noticia, le restan importancia y nadie más que quienes presencian los hechos saben de lo acontecido. La fuerza de choque trabaja como fuerza de seguridad privada para la Marina, financiada y dirigida por el gobierno de Puerto Rico. A la tarde del día siguiente quienes quedábamos volvimos a la Isla Grande. En la mañana escribí este relato. La tarde la dediqué a coordinar un acto de solidaridad con Tito que permanecía prisionero en la cárcel federal, sin fecha de juicio.

Estados Unidos señaló que el ... marinos. Pidió a las

Detenido y sin derecho a fianza Tito Kayak

Por Juanita Colombani

El Nuevo Día

juicio los dos cargos de entrada ilegal a terrenos de la Marina y un tercero de agresión ...

cio para el seis de julio. El joven fue represen... en la audiencia por ...

Jornada de Solidaridad con Tito Kayak

A quien pueda interesar:

Tito Kayak es prisionero de conciencia en la cárcel federal y no sabemos qué suerte le depare en el porvenir. Y nosotr@s que lo sabemos, ¿qué haremos? El Colectivo de Resistencia Amig@s de Vieques nos hemos dado a la tarea de coordinar una jornada de solidaridad con el compañero Alberto de Jesús (Tito Kayak) hasta el día de su juicio. La misma consiste en un ayuno rotativo de 24 horas frente a la cárcel federal. Empezando el sábado 8 de julio con una vigilia/cantata, tres personas ayunarán por un periodo de 24 horas cuando serán relevadas por otras tres seguidamente hasta el día 26 de julio. El ayuno (con agua solamente) empezará cada día a las cinco de la tarde…

Los bestias de la Marina aprisionan a Tito Kayak.

Para que este acto de solidaridad se mantenga precisamos del apoyo de todas las personas posibles. Además de las tres que estarán en ayuno diariamente necesitamos otros acompañantes. Son casi veinte días y necesitamos cuando poco la participación de 200 personas en total. Recuerda, es sólo un día de compromiso y sacrificio que te pedimos.

Lo ideal sería que esta jornada de solidaridad se convirtiera en una manifestación adoptada por nuestro pueblo y corriera sola, por sí misma; que se sumaran los familiares y amig@s de los demás compañer@s independentistas prisioneros de conciencia, y todas las gentes que simpatizan con la causa de nuestra hermana isla. Sabemos que para much@s las responsabilidades cotidianas hacen de los días de semana los más difíciles. Pero sabemos también que la solidaridad exige de nuestra parte sacrificios que no se pueden medir con la misma vara que medimos nuestra vida cotidiana...

Riega la voz, reserva un día en tu agenda, invita a quien quieras, únete a esta jornada de solidaridad con Tito y nuestros prisioneros de conciencia. Estaremos frente a la cárcel federal desde el sábado. Pasa y déjanos saber cuando quieres participar. Puedes organizar actividades por tu propia cuenta (piquete, cantata, teatro, poesía, mural, conversatorio, película, etc). Recuerda, esta lucha es de tod@s, para tod@s...

***

...ya los tribunales habían dado las órdenes de arresto a quienes nos negamos a pagar la fianza impuesta. Temprano en la noche del 7 de julio, cuando salía de mi hogar, fui intervenido por marshalls federales. Me arrestaron y me llevaron a prisión...

1 de julio de 2001
Orden de arrestos y encarcelamientos

Comunicado de Prensa
ÚLTIMA HORA

Arrestan "Jinetes por la Paz"

7 de junio de 2000

SAN JUAN, PR - Alrededor de las 7:30 de la noche del viernes arrestaron en su residencia al profesor universitario y ex-líder estudiantil Gazir Sued por negarse a prestar la fianza de $1,000.00 que le fuese impuesta por haber penetrado los terrenos restringidos por la Marina de guerra norteamericana en Vieques.

"Nos negaremos a alquilar nuestro derecho a desobedecer las leyes injustas, nuestro deber de regirnos por nuestros principios de paz; nos negaremos a ponerle condiciones a nuestras conciencias; nos negaremos a ponerle precio a nuestra libertad..." expresó el miembro del Colectivo de Resistencia Amig@s de Vieques.

Con este arresto Gazir Sued se suma a los otros prisioneros - como Alberto de Jesús (Tito kayak) del Colectivo Amigos del MAR y los miembros del Partido Independentista Puertorriqueño - que sacrifican su libertad por actuar de acuerdo a sus principios de conciencia.

Al desobedecer las leyes que protegen la permanencia militar en la Isla Nena, cumplimos con el deber ciudadano de defender por todos los medios necesarios la vida y la dignidad de las gentes que viven hoy y de los que vivirán mañana; sabemos que los compañeros hacen un enorme sacrificio... por lo que no podemos más que sentirnos orgullosos del dictado de su conciencia y mantenernos solidarios ante tan justa causa.

Al momento resta la expectativa del arresto de otro de los "Jinetes por la Paz", Johny Alverio, quien también se negó a cumplir con las condiciones impuestas por el Tribunal Federal. Ante la incertidumbre que rodea los próximos acontecimientos, se continuarán llevando a cabo diversas actividades en solidaridad, manteniendo viva la causa, manteniendo viva la resistencia.

Encarcelan a otros 27 pipiolos y a dos Jinetes por la Paz

www.endi.com

EL NUEVO día

45¢

Nuevo escándalo golpea puerta en Vivienda Pública

Páginas 12 y 14

ESPECTÁCULOS

Presentan millonaria demanda a Grupomanía

Página 102

Orden de juez federal contra 123 miembros del PIP

A prisión por no pagar fianza

Día y noche, familiares, amigos y simpatizantes se sumaron frente a la cárcel federal a dar apoyo a los prisioneros.

...y se prepararon para pintar las calles, exigiendo la excarcelación de los prisioneros de conciencia. En la foto, Rígel, Alba, Felito, Chelo, Freddie y Bernat Tort.

Comunicado de Prensa

25 de julio de 2000

SAN JUAN, PR- Una vez más el gobierno federal demuestra que es violador de los derechos civiles y humanos de los prisioneros de conciencia. El profesor Gazir Sued Jiménez, prisionero de conciencia, atrincherado en la cárcel federal por defender la paz, la justicia y la salud del pueblo de Vieques es objeto de constantes atropellos. El derecho a la dignidad, a la igualdad, a la libertad ideológica de Sued Jiménez han sido seriamente violentados, a tal extremo que ha permanecido totalmente incomunicado, en solitaria.

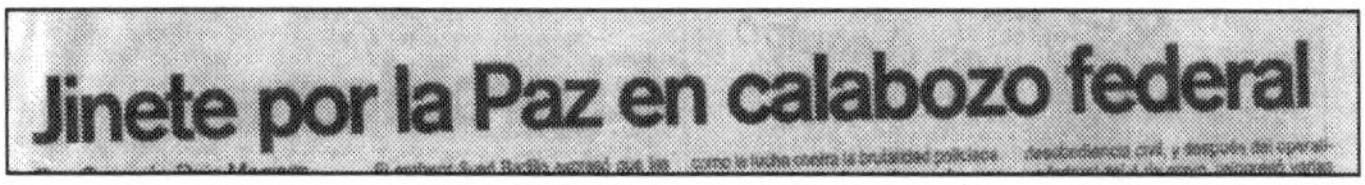
Jinete por la Paz en calabozo federal

El viernes 21 de julio, el Profesor Sued Jiménez recibió la aprobación de uno de los consejeros para realizar una llamada telefónica. Un guardia penal le prohibió tal gestión y el profesor alegó su derecho a una llamada telefónica. Este oficial procedió a esposarlo y enviarlo al "Hoyo". En este incidente no hubo actos de agresión. Desde entonces Sued Jiménez ha permanecido doblemente incomunicado.

Sued Jiménez está confinado desde el 7 de julio de 2000. Desde esta fecha no ha sentido en carne propia los besos y abrazos de su padre Jalil Sued Badillo y de su madre, Mirta Jiménez Martínez. Tampoco, el compañero ha recibido el calor humano de otros familiares y amig@s. El profesor Sued Jiménez ha sido el único de los prisioneros de conciencia que no ha tenido contacto con su familia, ya que no le han permitido las visitas. Cada vez que se aproxima el día de su visita lo cambian de sección donde los prisioneros ya han recibido la misma. Esta situación ha imposibilitado la comunicación con su familia. También, las cartas de familiares y amig@s enviadas la semana pasada aún no le han sido entregada.

¿Por qué han señalado al profesor Sued Jiménez para descargar su represión abusiva? ¿Será por la defensa de los derechos humanos, ambientales y estudiantiles que le ha caracterizado? Sued Jiménez es un conocido crítico de la Marina de guerra de los Estados Unidos en Vieques, organizador del campamento de resistencia Amig@s de Vieques desde verano de 1999 y director del documental *Vieques: crónicas desde la desobediencia.*

El Colectivo de Resistencia Amig@s de Vieques condena la situación inhumana por la cual a traviesa el compañero Sued Jiménez. El Colectivo entiende que esta situación es un acto de cobardía, un acto desesperado por silenciar la conciencia. Más, sin embargo, nuestra conciencia va más allá de unos barrotes, de una celda fría de unos edificios deformes. Nuestra conciencia es aquella que viaja en el espíritu de los más fuertes y los más fuertes son los que luchan por la paz de un Pueblo.

Exigimos la libertad inmediata de Gazir Sued Jiménez

COMUNICADO DE PRENSA

26 de Julio de 2000

SAN JUAN, PR - Los familiares de Gazir Sued Jiménez, un de los Jinetes por la Paz y de Amig@s de Vieques, han denunciado que Sued se encuentra en confinamiento solitario en la cárcel Federal de Guaynabo desde el Viernes 21 de Julio. Sued Jiménez es el único de los desobedientes civiles detenidos que no ha podido ser visitado por sus familiares desde su detención el 7 de Julio.

El profesor universitario Jalil Sued Badillo se expresó consternado de que se no se les he permitido visitar a su hijo a pesar de que han seguido los procedimientos que se les ha indicado. "Esto es un secuestro descarado. Al día de hoy mi hijo permanece en solitaria sin que al momento haya tenido derecho a una vista administrativa. La presunción de que todos los confinados son criminales sin derechos algunos permea las relaciones con oficiales de custodia, como con los llamados consejeros en la institución" indicó Sued Badillo.

El viernes 21 de julio, Gazir recibió la aprobación de uno de los consejeros para realizar una llamada telefónica. Mientras hablaba por teléfono, un guardia penal le prohibió tal gestión y el profesor alegó su derecho a una llamada telefónica. Este oficial procedió a esposarlo, acusarlo de insolencia y enviarlo a solitaria como reprimenda. Mirta Jiménez, su madre, ha hecho varias gestiones para lograr concertar la tan ansiada visita.

Además de las denuncias a través de los medios de comunicación, se inundó la administración carcelaria de llamadas telefónicas, presionando a los carceleros para que desistieran del mal trato. En la foto, Jalil Sued y Mirta Jiménez, padres de Gazir.

Comunicado de prensa

25 de julio de 2000

San Juan, PR- Ayer en la noche, Gazir Sued Jiménez, fue sacado de reclusión solitaria y puesto nuevamente con el resto de los prisioneros de conciencia que permanecen en la cárcel federal de Guaynabo. Hoy, miércoles 26 de julio, sus padres trataron infructuosamente de visitarlo, pero una vez más la administración se rehusó a darle acceso, argumentando que será el sábado cuando podrán finalmente visitarlo. Gazir y su familia permanecen en buen animo, a pesar de que él es el único de los prisioneros de conciencia que no ha tenido derecho a visitas. Ellos agradecen a todas las personas y grupos que han hecho muestras de solidaridad ya sea a ellos directamente o llamando al Sr. Pastrana, Alcaide de la prisión federal. Esperamos que finalmente el sábado la administración cumpla con lo prometido.

Carta de Gazir a su padre

24 de julio del 2000

Pa:

Ya habrás sabido todo lo que se puede saber de acá. Llevo tres días enjaulado por insolencia, confinado en solitaria porque soy un peligro para los demás. No salimos de las tragedias griegas, los libretos de las resistencias ya estaban escritos desde la antigüedad; Antígona y Prometeo todavía no han muerto, ni Creonte ni Zeus los han podido matar. No sé cuantos días más me tengan en este hueco. En verdad no está mal. La ducha está rota y la gotera parece una tortura china pero la prefiero al infernal silencio en este lugar. No tengo nada, ni libros, ni papel, ni bolígrafo, nada. Veinticuatro horas al día y ya. El lápiz que uso me lo dejó el que estaba antes en esta celda y unos sobres, sellos y tres pedazos de papel. Creo que pronto estaré en la calle, aunque sea hasta la próxima ronda de arresto, pues escuché que estaban dando multas. Ya bregaremos con lo que vendrá.

Yo estoy bien, dentro de lo que cabe esa palabra en esta cárcel. Envié mi defensa por correo a nombre de Alba. Deben llegar varias cartas, otra de ellas a su nombre también (ojo) que es para el colectivo de Amigos de Vieques. Llámala y dile que esté pendiente. Si ella no fuera a estar en estos días, abre la carta tú, a menos que Rígel y Ana hayan recibido las instrucciones. La carta dice "documento legal". Llama a Rígel cuando llegue. Dile a Mía que tiene razón en lo que me escribió. Sobre todo en que me acompañan peones, con toda literalidad. Es importante que cada carta que envíe a casa le llegue a la persona... Me enteré que a Pedrito no le ha llegado. Que alguien se la lleve, por favor.

Otra cosa: ya sabrás que los he visto en varias ocasiones. Ya no los puedo ver más. Así que, mientras, vayan al cine o a pasear, que esto puede ir pa' largo. Cuídate todo y cuida a Ma. Dile que la extraño, como a ti. Otra vez, mándale a todos mis "bendiciones", diles que estoy bien, que seguiré estándolo aunque mi dignidad sea demasiado terca y prefiera darme a respetar antes que aprender a callar. Mándale mis cariños especiales a Mía y Filo, a Ita, Rig, a Fe, a Mila y Ana, a Chazulle y a quien tú creas que me puede faltar. Sabes que el amor que le mandes a Albita será con una ternura especial. Si ella pasara por casa, y te tropiezas con una flor en el camino, dásela de mi parte...

Bueno, creo que si me sacan de aquí me llevarán con los que quedan al 1B. No sé, pues puedo quedarme aquí hasta mi juicio. No me permitieron llamar el domingo tampoco, no sé cuando será ese día. Sé que en agosto van a tumbar las líneas por un tiempo. Necesito saber si llegan todas mis cartas. Lleven cuenta de ellas...

Me despido por el momento. Un fuerte abrazo. Compártelo con Má. Cuídense y cuiden a los demás, que esta lucha apenas comienza y nos toca jugar hasta el final...

Ya nos vemos, compañero,

Siempre,

Desde afuera[1]

Por **Imac Morales**

A Gazir Sued

Hace varias semanas ya que "visito" a los compañeros encarcelados en la federal por entrar al área de tiro de la Marina en Vieques. Creo que lo que ocurre allí todas las noches merece ser escrito. Allí frente a la cárcel, decenas de padres, madres, herman@s, hij@s y amig@s han improvisado un "pueblito". Casetas, sillas y hamacas donde quiera. Una carpa que sirve de cocina, una mesa con agua y refrescos, colgando de un alambre 2 galones vacíos que se llaman DONATIVOS, en fin, todo lo que puedan necesitar para mantener su posición hasta el final. De allí no se van hasta que sus prisioneros de conciencia, hombres y mujeres que desafiaron las leyes del imperio sean liberados.

Cuando cae la noche, la multitud se reúne frente a la verja que nos separa a los libres de los prisioneros, esperando poder verlos cuando se enciendan las luces de las celdas. Estas permanecen encendidas por uno que otro guardia solidario. En la cocina, se prende la estufa de gas portátil y el asopao y las frituras empiezan a circular. Se organiza la línea de piquete y la música y consignas de lucha comienzan a sonar. "El que no brinque es Rosselló, el que no brinque es el juez Laffitte, el que no brinque es Orlando Parga...", grita el del micrófono. Por supuesto, nadie se queda quieto. Así se transmite el buen ánimo para que los de adentro lo sientan.

Equipados con banderas, pancartas de solidaridad y binoculares divisamos las siluetas, los rostros de los desobedientes cuando las luces empiezan a encenderse. Algunos miran desde las frías ventanas de cristal con sus manos y puños en alto, otros dan saltos o hacen algún gesto con las manos demostrando que los ánimos están arriba aún después de varias semanas de encarcelamiento. Aún en la distancia y el silencio, sabemos lo que piensan porque son nuestros, porque no nos los pueden quitar completamente. La euforia de la gente no se hace esperar. "Míralo allí, es él", dice la madre emocionada al ver a su hijo prisionero agitando los brazos a más no poder. "Y mi papá, donde está?"

---

[1]Este artículo fue publicado en el semanario Claridad la semana del 21 al 27 de julio del 2000.

¡Tío!, Tío. Todos están orgullosos del familiar o amigo que está adentro. Con la melodía "Yo quiero un pueblo", de Danny Rivera, y el ruido de fondo que producen las bocinas de los vehículos solidarios, las banderas ondean, aplausos, gritos.

Cuando otra de las celdas se enciende, reconozco a un amigo mío, uno de los Jinetes por la Paz, encarcelado -según sus propias palabras- por "negarse a ponerle un precio a la libertad de actuar de acuerdo a sus principios de conciencia". Con la ayuda de unos binoculares veo su cara, entre feliz y triste, apoyada en el cristal y su mano abierta tratando de atravesarlo como para poder tocarnos, levanto la mía y espero que pueda reconocerme. Traté de acercarme a la verja pero alguien me pidió que no lo hiciera, "los guardias se enojan, les apagan las luces y entonces no los podemos ver". Me pareció ver a su padre con los ojos rojos e hinchados pero sonriendo orgulloso y a su madre feliz viéndolo al menos, no queriendo perderse un solo momento. Entre los demás a mi alrededor la escena se repetía una y otra vez como efecto de dominó. Adentro, los prisioneros tomaban turnos frente a las ventanas para poder sentir el abrazo colectivo que les enviábamos. Afuera los binoculares pasaban de mano en mano, todos queríamos ver, "tenerlos" cerca el más tiempo posible. Casi una hora duró el "encuentro" hasta que empezaron a despedirse y las luces se empezaron a apagar.

Poco a poco la euforia de los de afuera fue calmándose. "Mañana será otro día", oí decir a alguien. Algunos se retiraron a sus casetas a descansar, otros seguirían la vigilia y algunos, como yo, se fueron a sus casas. La noche siguiente volví, no les dejaron prender las luces.

Discurso de Defensa de Gazir Sued ante el Tribunal Federal[2]

Señor Juez:

Con todo el respeto que merece como persona, me refiero a usted desde mi actual condición de prisionero de conciencia y le solicito me permita emitir unas palabras en mi defensa:

I. Justificación teórica y política

En el lenguaje de la teoría moderna de la Justicia y del Derecho podría decirse que en el contexto de un régimen constitucional democrático existen modos de protesta ilegal que no violan las metas de una constitución democrática, toda vez que estos modos de protesta están guiados por los principios de justicia consagrados en ella. Y no sólo no violan sus metas, sino que las representa con la más sincera integridad y las refuerza. Tal es el caso de los actos de desobediencia civil que han sido llevados a cabo por la paz en Vieques. Demostrar esto será objetivo central de mi defensa.

---

[2]Este discurso, escrito en la prisión, fue la defensa que presentó Gazir Sued ante el Juez Federal Héctor Laffitte antes de que éste dictara veredicto y sentencia el 4 de agosto del 2000. Fue publicado en el semanario Claridad y puesto a circular en internet por www.viequeslibre.org.

Para tales efectos presentaré un trasfondo concreto y razonable que justificará las acciones por las que estamos siendo juzgados. Acciones que son de naturaleza civil y que como tales están enmarcadas en los principios políticos constitucionales. Baso mi defensa, pues, en la premisa de que existe en Puerto Rico un sentido colectivo de la justicia y que, es este el sentido que ha guiado nuestros actos enmarcados en los principios políticos constitucionales.

Pienso que la corte federal debería tomar en consideración la naturaleza civil de los actos que están siendo juzgados y por los que hemos sido penados injusta e irrazonablemente. Sostendré de manera implícita en mi ponencia que nuestros actos constituyen actos de protesta legítima justificada por los principios políticos de nuestra constitución y que, sobre estas bases fundamentales, sería justo y razonable suspender incondicionalmente cualquier sanción legal.

II. Sobre jurisdicción y legitimidad del Tribunal Federal

Primeramente, para no dar lugar a confusión o duda alguna, quisiera hacer constar mi posición de conciencia ante la corte federal norteamericana en Puerto Rico y el problema de legitimidad que representa al arrogarse jurisdicción sobre mi persona. Quiero aclarar en primera instancia que no se trata de un problema de orden filosófico ni jurídico exclusivamente, sino de carácter eminentemente político. Es político, pues se trata de la autoridad moral que tiene el gobierno federal norteamericano para someterme a sus procesos judiciales, para juzgarme y tomar acción sobre mi libertad, decidiendo si encerrarme o castigarme como le parezca, según dispone su propia ley.

La legitimidad es un valor fundamental para todo estado que presume regirse por el Derecho y, como tal, constituye un requerimiento esencial de toda sociedad que se ha consagrado a los principios democráticos modernos, como lo ha hecho la sociedad de la que soy parte, la sociedad puertorriqueña. El rango de legalidad, en las sociedades democráticas modernas, está (o debiera estar en principio) supeditado al de legitimidad. En otras palabras, que si bien la ley es el lugar donde se supone se condensa la voluntad general, y su encargo no es otro sino el de representarla, esta voluntad general (que precede todo contenido y forma de la ley), no podría ser otra cosa que la esencia misma de los valores y principios que constituyen la legitimidad. Es sólo en este orden que puede presumir la ley de representar la voluntad general y, al hacerlo, alardear de ser condición de posibilidad de la justicia. La legitimidad del sistema de derecho actualmente existente depende, pues, de su fidelidad y devoción a los principios democráticos consagrados en las constituciones modernas. Es decir, depende del activo cumplimiento y celosa protección de los derechos humanos, a saber, el derecho a la vida, a la seguridad, a la felicidad, al bienestar individual y colectivo, al disfrute de la propiedad y a la libertad. ¿Qué propiedad puede ser más sagrada que la vida misma? Y la vida, ¿qué valor posible tendría sin la libertad?

III. Del carácter injusto y discriminatorio del proceso judicial

El gobierno federal ha comprendido muy bien para sí el espíritu de estos derechos, pero por más de un siglo se los ha negado a los puertorriqueños. Es por eso que durante el transcurso de mi defensa mantendré en tela de juicio la legitimidad, o bien, la autoridad moral del sistema que hoy enjuicia mis actos. Sobre todo, porque no soy quién para negar la historia colonial de mi pueblo y confiar ciegamente en la autoridad federal sería hacerlo. Y más aún, porque no podría soportar la vergüenza y la complicidad de callar que la corte federal ha sido impuesta por la misma fuerza militar que hoy me acusa a mí y a mis compañeros, mientras se mantiene intacta la condición de subordinación política, económica y jurídica de la nación puertorriqueña por la república imperial norteamericana. Nadie puede negar que hace poco más de cien años las fuerzas de la armada norteamericana ocuparon militarmente esta tierra, como tampoco podría nadie ocultar que su Marina de guerra raptó a la isla-municipio de Vieques y la ha maltratado terriblemente por más de seis décadas.

Es por esta razón que mantengo en tela de juicio la voluntad que mueve a la Marina de guerra a encausarnos y la intención política de la corte federal al juzgarnos. ¿Qué legitimidad moral podrían tener ambos cuerpos de la misma entidad para enjuiciarnos si la legalidad de su autoridad ha sido impuesta, no por virtud de su justeza, sino por la cruda violencia de su fuerza militar? Es precisamente contra toda razón de ley impuesta por la fuerza de la violencia militar que se han levantado los principios de derecho democráticos. Es sobre estos principios que amparo plenamente mi defensa, que son la razón que me lleva a actuar según los dictados de mi conciencia.

Ante este escenario cabe una duda enorme. Si seré acaso juzgado como puertorriqueño o como ciudadano americano. De ser la primera no hay jurisdicción posible del tribunal federal sobre mi persona. De ser la respuesta la segunda opción, me vería en la misma necesidad urgente de denunciar el carácter injusto y discriminatorio de este proceso judicial, pues, como ciudadano americano, nunca he tenido la oportunidad de llevar mis reclamos de paz para Vieques ante ninguna entidad reconocida por el gobierno federal. Hace ochenta y tres años nos fue impuesta esta ciudadanía, sí, pero sin los derechos constitucionales reconocidos y protegidos por la misma. Los puertorriqueños no tenemos representación ante el congreso de los Estados Unidos, por lo que no podemos expresar ante dicho cuerpo nuestros sentimientos y posturas políticas bajo las mismas condiciones que pudiera en derecho hacerlo cualquier ciudadano americano que no sea puertorriqueño. Ni siquiera podemos elegir, si es que así lo quisiéramos, personas que democráticamente representen nuestro sentir como pueblo. Estas condiciones hacen del proceso judicial uno injusto y discriminatorio; y a su vez, convierte los actos de desobediencia civil en un deber político, en una necesidad vital.

Tenemos una ciudadanía que nos ha sido impuesta y no tenemos otro derecho ante los procesos judiciales de la corte federal que someternos a los dictados de su propia ley, sin proveer espacio previo alguno donde pudiéramos representarnos como supuestos ciudadanos americanos. El proceso judicial al que hoy estoy forzado a someterme es característico de un régimen colonial y eso, en sí mismo, convierte el proceso en uno injusto y discriminatorio, contrario a los principios democráticos consagrados en la propia constitución norteamericana e inmoral ante los ojos de la historia y del mundo.

Quizá estas razones pudieran bastar para pensar que sería tal vez más prudente permanecer callado, pues el proceso judicial al que estoy siendo sometido es, en sí mismo y por virtud de una huella histórica de imborrables ofensas, no sólo una afrenta a la dignidad de mi persona, sino una ofensa más a la dignidad de cualquier puertorriqueño...

No reconozco la autoridad del tribunal federal para enjuiciarme, ni mucho menos su arrogado derecho a encerrarme. No reconozco la autoridad del tribunal federal porque no tiene la legitimidad moral para ejercerla. Pero, a fin de cuentas, poco o nada importa que yo reconozca su autoridad para juzgar mis actos de conciencia y encerrarme por negarme a abdicar a mi conciencia. El gobierno federal tiene el poder mas no la legitimidad de imponerse sobre mí por la fuerza, y es sólo en este poder donde reside su autoridad para juzgarme a mí y a toda la gente que hoy defiende el derecho a la vida y a la paz en la isla de Vieques.

IV. De la naturaleza y las razones políticas de mi defensa

Sin embargo, para dar razón a mi defensa a pesar de todo lo antes expuesto, y aún a sabiendas que por más razón que tenga siempre permanezco en una posición de desventaja, daré lugar a la posibilidad de que aunque fuera en ocasiones excepcionales, los principios democráticos de derecho pueden filtrarse y hacerse cabida entre las determinaciones judiciales de la corte federal. Pensaré, pues, que haberme mantenido encerrado hasta el día del juicio ha sido más bien un malentendido judicial y no un acto llano de mala fe. Presumiré entonces, que el trato discriminatorio contra mi persona, como contra todos los que hemos sido enjaulados en la cárcel federal por sumarnos a la causa viequense, se ha tratado de un error judicial, que aunque nos ha ofendido y maltratado nuestra dignidad como seres humanos, puede ser todavía enmendado.

Sólo asumiendo la posibilidad, que tras el poderío judicial del gobierno norteamericano no existe ninguna voluntad absolutamente perversa y sí seres humanos racionales, capaces de sentirse indignados ante las injusticias y de regir sus decisiones y sus actos por los principios que les dicta no sólo la ley sino sus propias conciencias; sólo pensando esto, es que justifico tomar acción de palabra en mi defensa. De lo contrario, de estar convencido de que esta posibilidad se trata sólo de una ilusión utópica o simplemente de una torpe ingenuidad mía, para mi defensa bastaría el sólo hecho de permanecer en sepulcral silencio...

Pero me defiendo porque es naturaleza humana defenderse de la agresión, porque considero que es mi deber ciudadano dar cuenta abierta por los actos de mi conciencia y porque me reservo la esperanza de que las cosas puedan ser de otra manera.

Y es que pertenece al dominio de la naturaleza humana resistir por cualquier medio cualquier fuerza que quiera imponerse contra su voluntad, como es sobre todo humano luchar contra cualquiera que trate de quitarle el sagrado derecho a la libertad. Ese cualquiera podría tratarse de un maleante o de un fiero animal, pero también podría tratarse de la corte federal.

Fui aprisionado por soldados y encerrado en prisión como castigo sin habérseme celebrado juicio alguno que dictara sentencia condenatoria por alguna culpabilidad. Todavía es el día que espero la lectura de mis derechos. Trece días pasaron cuando por vez primera y por tres escasos minutos pude hablar con mi mamá. Veintiocho días he tenido que aguantar el maltrato carcelario y soportar a los abusivos y malcriados carceleros. Cinco días pasé en solitaria por darme a respetar de sus abusos de poder sin derecho a defenderme ni a denunciarlo. Tres semanas pasaron antes de tener la primera visita de mis padres.

Ejerzo ahora mi derecho a defenderme ante la corte federal con todas las reservas de sospecha y desconfianza activadas. Demasiado ha coqueteado el tribunal federal con la fuerza militar. Demasiadas han sido sus complicidades...

V. En defensa propia: el deber moral de hacerlo

Me defiendo por voz propia porque estoy convencido de que nadie podría representarme mejor que yo mismo en este asunto, pues quien haya vivido estas amargas y crudas experiencias de encierro y maltrato por el gobierno federal, es quien mejor podría hacerlo. Y si no mejor, de seguro, con toda la legitimidad moral para hacer valer el intento.

Me defiendo por voz propia porque soy prisionero de conciencia. Al defenderme de la corte federal me defiendo de la Marina de guerra, y al hacerlo, defiendo la causa por la paz del pueblo viequense. Me defiendo por voz propia, porque sé que sólo quienes han visto con sus propios ojos la vasta destrucción ecológica ocasionada por los bombardeos de la Marina, puede dar cuenta precisa de los resortes que activan la conciencia y sus actos, que son sus más puras consecuencias. Me defiendo por voz propia, porque sólo quien ha visto y escuchado los testimonios del dolor y el sufrimiento de tantos viequenses, puede defenderse con el ímpetu y la determinación que urge el momento. Me defiendo por voz propia porque he vivido en cuerpo y alma el drama mortal de este pueblo y tengo el deber moral de hacerlo...

VI. De la necesidad de la desobediencia civil en Vieques

¿Por qué estaba en Vieques? ¿Por qué arriesgué mi vida para detener los bombardeos? Son estas interrogantes lo primero que entiendo debe tomar en cuenta quien sea que juzgue mis acciones. Más de nueve mil seres humanos habitan la isla-municipio de Vieques actualmente, en una escasa tercera parte de su territorio natural. Desde los años cuarenta la Marina de guerra norteamericana ocupa más de dos terceras partes de Vieques, obligando a emigrar a gran parte de su población y a la restante a concentrarse en el reducido espacio del centro de la isla, acorralada entre dos áreas restringidas por la fuerza militar invasora. Desde entonces la Marina de guerra ha estado utilizando la isla de Vieques, en una parte como almacén de armamentos y tóxicos, en la otra como campo de tiro y bombardeo.

El impacto sobre la sociedad civil ha sido dramático. La mayoría de la población viequense vive bajo niveles de pobreza, mayores aún que en el resto de Puerto Rico. Y es que la presencia de la Marina ha sido un obstáculo enorme a las posibilidades de desarrollo y crecimiento económico de la isla. Los pescadores viequenses, como todos sabemos, no pueden ejercer sus trabajos durante los periodos de bombardeo. Como si esto no fuera suficiente, aún cuando han cesado los bombardeos, a la vida Marina le toma mucho tiempo restablecerse y la pesca se sigue viendo afectada.

Pero el impacto en la sociedad civil no es sólo económico. Los viequenses han atravesado terribles experiencias que han desgarrado sus sentimientos. La muerte de David Sanes es sólo su más reciente ejemplo. Y es que el margen de error de los bombardeos se extiende hasta el corazón del pueblo. Además, el ruido ensordecedor de los motores de los aviones militares, que sobrevuelan a altas horas de la noche, no sólo interrumpe abruptamente el sueño de los residentes sino, al hacerlo, anuncia siempre la posibilidad de muerte. Lo mismo el ruido de las bombas cayendo y explotando repentinamente, interrumpiendo el curso normal en los salones de clases de las escuelas de Vieques. Estos son sólo ejemplos de cómo la presencia de la Marina y sus bombardeos afectan la paz, la tranquilidad y la educación en Vieques. A esta realidad innegable se le suma el constante terror de la población, sobre todo de quienes han visto caer bombas tanto en los patios de sus casas como en los de sus vecinos. La Marina de guerra y sus bombardeos afectan la salud mental de los habitantes de la Isla Nena. La promesa de reanudar los bombardeos es, bajo cualquier registro de razón, una práctica de hostigamiento psicológico, pues se trata de una amenaza constante a la seguridad y hasta a la vida de los residentes viequenses. El reinicio de los bombardeos es la concreción más cruel e inhumana de esa amenaza. Las prácticas militares en Vieques son, ante la mirada sensible de cualquier ciudadano, un acto terrorista.

Consecuencia directa de estas prácticas militares es que la mayor tasa de mortandad infantil la tiene la isla de Vieques. Consecuencia directa de los bombardeos es que la mayor incidencia de cáncer y de enfermedades relacionadas a problemas respiratorios, está en Vieques. La contaminación ambiental ocasionada por los bombardeos y la utilización de materiales altamente contaminantes, como el uranio, y los polvos tóxicos esparcidos sobre la población por los vientos y la cercanía de las explosiones, está matando lentamente a los viequenses. Eso la Marina lo sabe y lo ha confirmado, así como también se ha desentendido de sus mortales efectos y eso la convierte en genocida.

A las terribles consecuencias sociales se suma, para empeorar el diario vivir y el incierto porvenir de los viequenses, la devastación ecológica de las zonas bombardeadas. La destrucción de los recursos naturales, la contaminación de las casi inexistentes reservas de agua, la matanza de animales pertenecientes a especies en peligro de extinción, son sólo algunos ejemplos. La Marina de guerra, por si fuera poco, maltrata, contamina y destruye el medio ambiente, la naturaleza, la fauna y la vegetación de la isla de Vieques...

Los principios de derecho constitucional y los principios de derechos humanos, están siendo violados cada vez que se bombardea la isla de Vieques. Las evidencias son ya incontables. Los hechos hablan por sí mismos. Además, cuando el sufrimiento de la gente es tan evidente y ha sido exhibido con tanta crudeza durante tanto tiempo, ¿qué otra evidencia podría estar ausente? ¿Qué hecho podría ser más contundente? Yo y miles de otros, hemos exigido a la Marina que cese en definitiva los mortales bombardeos, que devuelva las tierras raptadas y ocupadas, que se vaya y que deje a los viequenses vivir en paz.

Por más de un año detuvimos los bombardeos, rehabitando las tierras ocupadas y maltratadas por la Marina de guerra. En

Vieques, por espacio de un año, mantuvimos viva la esperanza de vivir en paz hasta que en mayo de este mismo año fuimos desalojados por militares y federales. La Marina reinició los bombardeos y nosotros, ciudadanos puertorriqueños, cumpliendo los dictados de nuestras conciencias, nos dimos a la tarea de llegar al área de tiro, para convertirnos en escudos humanos y, con nuestros cuerpos a su merced, detener los bombardeos. Nosotros, cumpliendo nuestro sagrado deber con la vida, como más pudimos, lo intentamos, pero caímos prisioneros en el intento y hasta el día de hoy hemos permanecido encerrados en la prisión federal. Curiosa manera esta que tiene un tribunal de hacer justicia, encerrándonos a nosotros y defendiendo al criminal, que es la Marina de guerra norteamericana.

La Marina de guerra ha violado las leyes sagradas de la humanidad, consagradas en los principios de derecho en nuestra constitución y en la propia constitución de los Estados Unidos de América. Vergüenza debiera tener quien quiera que dé la cara por la Marina...

VII. En el espíritu constitucional democrático: petición de justicia

Señor Juez, que todo lo antes expresado baste para mi defensa, pues no existe ley creada por hombre alguno que pueda valer más que el derecho sagrado a la vida, ni deber más humano que cuando una fuerza mortal la amenaza o la hostiga, salirle al paso en su inmediata e incondicional defensa. Es esto lo que dictan los principios que rigen mi conciencia, y es esta la razón principal por la que he consagrado mi existencia a esta justa causa hoy librada en la lucha por la paz en Vieques.

Señor Juez, por virtud de la autoridad natural que tengo como ser humano, le pido que libere inmediata e incondicionalmente a todos los prisioneros y prisioneras de conciencia que ya han sido encarcelados por defender el derecho a la vida y a la paz en Vieques. Y con el mismo espíritu que anima mi defensa, le pido que interceda por la liberación inmediata e incondicional del ambientalista puertorriqueño Alberto de Jesús, quien ha arriesgado su propia vida y su libertad por los derechos ambientales de la isla de Vieques y que ha sido injustamente castigado por el sólo acto de convertir en hechos concretos ese amor tan profundo que siente por la comunidad viequense.

Señor Juez, mientras escribía las últimas líneas de mi defensa, escuché desde mi celda rumores de que la Marina está alambrando con navajas de serpentina toda la verja que restringe de norte a sur el perímetro militar. Hoy sabemos con certeza que se disponen a reiniciar los bombardeos.

Señor Juez, le pido que se inhiba de juzgar a los compañeros y compañeras que vendrán, porque hoy fuimos poco más de cien, pero mañana de seguro seremos cientos. El principio que defendemos es que la vida de un solo ser humano vale más que todas las propiedades juntas del imperio militar más rico y poderoso del mundo. Que más que el derecho de propiedad de la Marina de guerra, vale el derecho a la vida de un solo pescador viequense, de cualquier niña o de cualquier envejeciente. Es este el principio de conciencia que he defendido al defenderme, es el mismo principio por el que me han encerrado y por el que muy posiblemente seré sentenciado.

Señor Juez, sepa que todo lo que he dicho, que todo lo que he escrito, es la firma de un compromiso irrenunciable con la vida; que todo lo que he dicho, que todo lo que he escrito, es una promesa de que seguiré haciéndolo, y por la que estoy dispuesto a cualquier sacrificio. En sus manos queda la suerte inmediata de mi libertad y la de muchos compañeros.

Señor Juez, ésta ha sido mi defensa. Lo demás, que en su conciencia quede...

Entre el 7 de julio y el 4 de agosto de 2000, Guaynabo, Puerto Rico.

Gazir Sued
Prisionero de Conciencia # 19776-069
Metropolitan Detention Center
Federal Bureau of Prisons
Guaynabo, Puerto Rico

El Juez Laffitte, tras "elogiar" brevemente el discurso de Gazir, concluyó: "But the law is the Law". Determinó que el tiempo en prisión había sido una pena suficiente por el momento, pero lo sentenció a un año en probatoria supervisada y le prohibió volver a Vieques. Unos días después le toco el turno a Tito, que llevaba prisionero cincuenta días. Laffitte le dio "tiempo cumplido" también y un año y medio de probatoria, con las mismas condiciones.

***

...las clases estaban ya por comenzar en las universidades y era preciso dar continuidad a la lucha. Parecía ser que se empezaba a debilitar el movimiento universitario a favor de la lucha contra la Marina de guerra en Vieques. No bastaba que los universitarios fueran mas que una fuerza que reaccionara ante situaciones dramáticas. Había que organizarse para acciones más contundentes. Otra vez se reanudarían los bombardeos y estaba programada ya una marcha concentración para el mes de octubre en Vieques.

Poco después que salimos de prisión, en estas chimeneas abandonadas al otro lado del expreso las Américas, frente a la prisión, izamos la bandera boricua y la pancarta de Bieké o Muerte.

EDUCANDO
LA PAZ
NO PA LA GUERRA

Todos los preparativos estaban listos. El plan estaba en pie. Esa noche íbamos a ocupar la torre de la universidad.

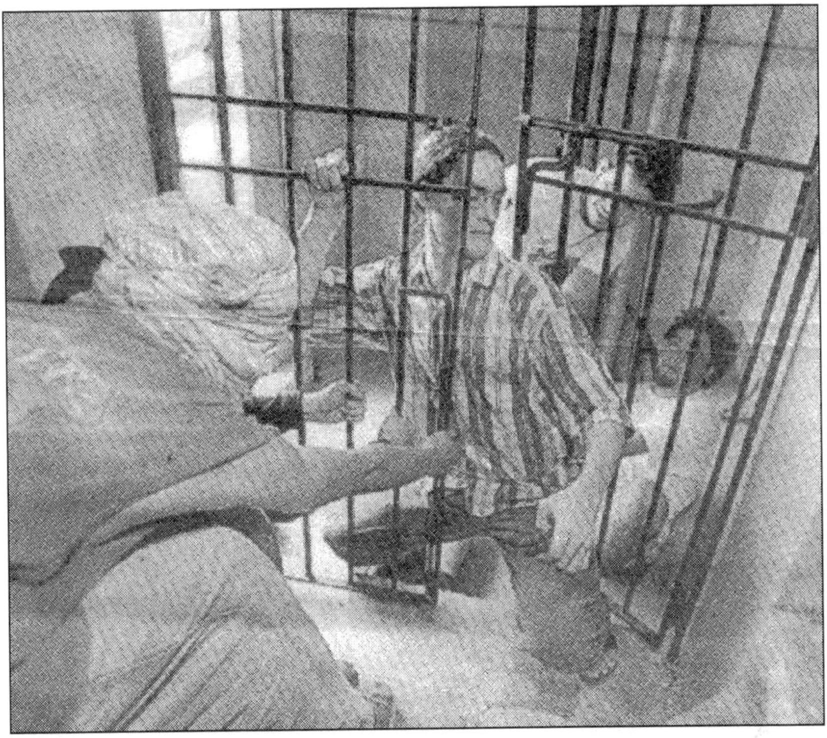

12 de septiembre de 2000
Ocupación torre de la Universidad

Educando por la Paz, no pa' la Guerra

Carta abierta a la comunidad universitaria

"No hay locuras sin amantes,
ni patria sin estudiantes."

A quien pueda interesar:

...si esta carta ha llegado a tí es porque hoy, una parte de algo en lo que hemos puesto gran empeño y dedicación, se ha dado al fin y, en el acto de darse, ha marcado el inicio de una nueva esperanza en esta lucha, que sigue siendo de tod@s, para tod@s. Habremos, pues, ocupado la torre de la Universidad de Puerto Rico como acto de nuestra determinación de Justicia y Paz para Vieques. Habremos lanzado dos pancartas que ocupan toda la parte frontal de la torre que leen: *Educando por la Paz, no pa' la Guerra.* Habremos izado la bandera viequense como símbolo de esta noble voluntad, al lado de la bandera puertorriqueña, que es el símbolo de la unidad de nuestro pueblo en esta urgente causa. Habremos convertido la torre de la universidad en símbolo vivo de esta lucha, que es de todo el pueblo abusos de la fuerza militar norteamericana. Habremos dado un paso más en la consecución de nuestros objetivos como Nación: sacar a la Marina de Guerra de Vieques y devolverle la esperanza a este pueblo de una vida mas digna y segura, de un porvenir, cuando poco, más esperanzador. Habremos, en definitiva, enarbolado y materializado en nuestro acto los principios más hermosos que rigen las conciencias de nuestra comunidad universitaria, de l@s estudiantes, l@s profesores y l@s trabajadores de la educación en nuestra patria entera...

¿Quienes somos?

...quienes nos responsabilizamos plenamente de esta acción somos l@s estudiantes y profesores universitari@s que mantuvimos un campamento en desobediencia civil en la zona restringida por la Marina de guerra norteamericana en Vieques y que por espacio de más de un año participamos activamente en la paralización de las prácticas bélicas del imperio militar más poderoso del mundo y, al hacerlo, aportamos significativamente a mantener viva la esperanza de Justicia y Paz en esta hermana isla.

Tras los desalojos nos hemos mantenido activ@s tanto en la Isla Grande como en Vieques, organizando actividades de resistencia, apoyo y solidaridad, realizando talleres de desobediencia civil. Además realizamos el documental *Vieques: crónicas desde la desobediencia*, que ha sido parte integral de nuestra tarea educativa y sensibilizadora en esta lucha. Al día de hoy hemos seguido organizando entradas al campo de tiro, como las de los Jinetes por la Paz...

¿Por qué ocupamos la torre de la Universidad?

Mientras se dan las maniobras militares y los bombardeos el proceso de educación en la Isla Nena se ve afectado. Eso es una lamentable realidad que llevamos sabida por demasiado tiempo. ¿Qué hacer? Nuestro llamado es a la sensibilidad de tod@s l@s universitari@s, para que respondan con mayor firmeza a defender el derecho a la educación en nuestra hermana isla. ¿Cómo quedarnos de brazos cruzados cuando estudiantes de un pedazo de nuestra patria no gozan de las mínimas condiciones para educarse que nosotr@s? ¿Por qué resignarnos a los lamentos de todos los días?

Durante el mes de octubre la fuerza militar norteamericana pretende iniciar prácticas bélicas en combinación con otras fuerzas militares aliadas. Contra la mortal complicidad de estas fuerzas militares combinadas para destruir la salud y el ambiente de la isla de Vieques y su gente, alzamos nuestras voces de protesta. Por la solidaridad nacional e internacional en favor de la causa viequense, que es la causa por la paz mundial y contra todo lo que conduce a la posibilidad de guerra, ocupamos la torre de la Universidad. Por una educación comprometida a estos principios de conciencia y a los mejores valores que la guían, hemos realizado este acto...

¿Por qué ahora?

Ante los ojos de nuestro pueblo pareciera ser que nuestra comunidad universitaria ha perdido el interés por la causa viequense. Así como los partidos políticos más grandes, sus juventudes parecen haberse desentendido completamente de la situación por la que atraviesa la Isla Nena. Bajo la sombra de los partidos políticos se han enfrascado en el ánimo de las contiendas electorales y dejado de lado la determinación de lucha que una vez se comprometieron mantener hasta que sacáramos por fin a la Marina de Vieques. De las organizaciones religiosas nacionales, así como las integradas por estudiantes, no hemos escuchado nada aún. Sabemos que el liderato de las iglesias grandes y congregaciones religiosas han dado un gran paso atrás, que han renunciado a su compromiso cristiano de obediencia evangélica, que es actuar La Palabra y no hablarla nada más. Así mismo los líderes de las organizaciones sindicales en el país y aquí mismo en la universidad. De l@s profesores, fuera de unos cuantos que siempre han sido solidari@s, no tenemos constancia de nada prometedor. Pero tampoco han sido muy prometedoras las actuaciones de los consejos de estudiantes de cada facultad, ni las del Consejo General de Estudiantes. Tampoco l@s estudiantes que no están organizados han mostrado gran interés en sumarse a esta justa causa. Es como si un gran manto de indiferencia arropara el recinto entero y paralizara nuestros ánimos de justicia y paz, y nuestros espíritus se desentendieran del sufrimiento de los hermanos y hermanas que habitan Vieques a duras penas...

Sabemos que un piquete aquí, una marcha allá no basta. Debemos actuar de otro modo. Y debemos hacerlo unitariamente, no borrando lo que nos diferencia sino juntando las coincidencias. Populares, estadistas, pipiolos, músicos y artistas, cristianos y ambientalistas, tod@s por Vieques.

Creemos que este acto, si se queda aquí y nada más, podría convertirse en un simple augurio de una derrota definitiva a la lucha por la paz en Vieques, a la lucha por sacar a la Marina. Estas líneas son, nuevamente, para invitarte a actuar de otra manera, no para apoyar de la boca pa'fuera, no para hablar solo de solidaridad. Es para actuar la solidaridad y hacerlo efectivamente...

¿Por qué la torre de la Universidad?

La torre de la Universidad de Puerto Rico es ahora símbolo activo del espíritu de Justicia y Paz de nuestro pueblo entero. Y nos proponemos a asegurar que lo seguirá siendo mientras la amenaza de reanudación de las prácticas bélicas y los bombardeos siga siendo inminente. La ocupación de esta estructura histórica servirá de eslabón de continuidad a los actos civiles que por más de un año se han realizado en la Isla Grande en favor de esta causa. L@s universitari@s no podemos descuidar el encargo para con la sociedad de la que somos parte.

Nuestro pueblo ha depositado una parte esencial de su confianza en que la educación universitaria debe estar en función del bienestar de la sociedad entera y, sobre todo, que los universitari@s tienen la responsabilidad ineludible de asegurar que la educación cumpla su función en armonía con los principios de derechos humanos, a saber, con el derecho a la libertad, la seguridad, el bienestar y la vida. Quienes somos universitari@s hoy, debemos asumir este encargo sin miramiento alguno frente a los riesgos que conlleva este encargo. Debemos asumirlo y convertirlo en hechos concretos sin reparo a sus consecuencias. De lo contrario, ¿para qué estudiamos, para qué enseñamos, para qué trabajamos cada día?

Las consecuencias que por realizar este acto recaerían sobre nosotr@s son inciertas. Mucho mayores son los riesgos personales a los que nos enfrentamos si no contamos con el apoyo, la solidaridad y la integración de todos los sectores que componen nuestra comunidad universitaria, con l@s estudiantes, l@s profesores, l@s trabajadores. Y no solo de la iupi, sino de todas las unidades del sistema, las universidades privadas, institutos y escuelas y, sobre todo, del pueblo de Puerto Rico, de sus sindicatos, de sus iglesias, de nuestras familias, de nuestr@s amig@s, de t@dos y cada uno de quienes forman parte de esta patria nuestra.

¿Cuáles son nuestros reclamos?

1. Que la Marina de Guerra norteamericana cese y desista inmediata e incondicionalmente de sus prácticas bélicas en la Isla de Vieques y devuelva a Puerto Rico las tierras ocupadas actualmente para sus devastadoras y mortales maniobras.

2. Que la administración de la UPR (sus Senados Académicos, Juntas Universitaria y la Junta de Síndicos) se exprese públicamente a favor de la causa viequense, como ya lo han hecho trabajadores, profesores y estudiantes.

3. Que el gobernador de Puerto Rico se disculpe por su traición a esta causa y a nuestro pueblo, se retracte de ella y se exprese a favor de la causa viequense.

4. Que los partidos políticos, que las iglesias y los sindicatos de trabajadores no se desentiendan de la lucha viequense por dar más atención a la contienda electoral...

Estamos convencid@s de que si l@s universitari@s nos lo proponemos y nos decidimos por fin a hacerlo, podremos aportar a revivir el ánimo de lucha en el país entero. **En octubre se reinician bombardeos combinados en Vieques.** La Marina de guerra norteamericana, junto a fuerzas bélicas aliadas, convertirán a Vieques en un campo de tiro. Tenemos un mes para actuar.

¿Qué alternativas proponemos?

1. Realizar una campaña intensiva de sensibilización general sobre la situación del pueblo viequense y las actuales condiciones en las que se encuentra esta fase de la lucha.

    a. Presentación de talleres, charlas, conferencias, distribución de hojas informativas.

b. Presentación en las facultades del video documental: *Vieques: crónicas desde la desobediencia.*

c. Realización de conciertos en solidaridad, actividades ecuménicas, exposiciones de fotografía, teatro, poesías, etc...

2. Llevar a cabo actividades de protesta llamativas y contundentes, durante todo el mes de septiembre, para mantener en la luz pública la posición del estudiantado de la universidad con relación a la lucha en Vieques.

3. Mantener activa y continua una campaña de reclutamiento y organización de actos de desobediencia civil para el mes de octubre, tanto en la zona restringida por la Marina como en la Isla Grande.

4. Desarrollar iniciativas de integración urgente de los diversos sectores que componen nuestra comunidad universitaria (profesores, empleados de la Hermandad y trabajadores del sindicato).

5. Tramitar con la Junta Estudiantil Nacional actividades conjuntas entre todas las unidades del sistema dirigidas a cumplir los objetivos de octubre: detener los bombardeos en Vieques.

6. Organizar la movilización de no menos de mil universitarios dispuestos a participar en los actos de desobediencia civil en Vieques y a entrar en la zona restringida por la Marina de guerra.

7. Mantener vivo el principio de educación para la paz, no para la guerra: mientras en Vieques

haya bombardeo y las escuelas no puedan funcionar allí, en ninguna parte del país habrá clases regulares. Organicemos la paralización de todo el sistema universitario en solidaridad con la lucha que se llevará a cabo en Vieques. Si lo hacemos efectivamente podemos dar ánimo a los sindicatos y demás sectores organizados del país para llevar a cabo un Paro Nacional en solidaridad con la lucha de Vieques. No podemos trabajar para menos...

Para tales efectos proponemos la activación de un **Frente Universitario Nacional** amplio que mantenga activa la resistencia en Vieques y organice actividades encaminadas a cumplir estos objetivos, tanto dentro del recinto como fuera de él. La organización estará integrada por cualquier grupo o individuo interesado en sumarse a esta lucha.

Compañer@s, esta lucha es de tod@s, para tod@s. La Marina de Guerra se quedará en Vieques tanto más cuanto cada uno y entre tod@s permitamos que se quede. Creemos en la posibilidad de sacarla. Apostemos a que podernos hacerlo. Hagamos valer el intento...

12 / EL PAÍS

EL NUEVO DIA / miércoles, 13 de septiembre de 2000

Toman por Vieques la Torre de la UPR

Por Frances Rosario

Especial El Nuevo Día

mento histórico por parte de la Colectivo de Resistencia Amigos de Vieques (CRAV), nombre de la or-

¿Hasta cuándo mantendremos ocupada la Torre de la Universidad?

Nuestra propuesta es que sea hasta el día primero de octubre. Pero para tomar esta decisión proponemos lo siguiente: que mañana miércoles 13 de septiembre, a la 1:00 PM, todos los universitarios interesados en esta lucha se den cita frente a la Torre de la Universidad y abiertamente tomemos junt@s esta decisión. Nuestra acción tiene un objetivo claro: reabrir el espacio al diálogo reflexivo en torno a la actual situación de la lucha que libra el pueblo viequense, encaminado al cumplimiento de los objetivos de Justicia y Paz trazados por más de un año consecutivamente.

Te esperamos...
tus compañer@*s* del ***Colectivo de Resistencia Amig@s de Vieques***

Inicialmente ocupamos la torre de la Universidad Ivan F. Quinteros, Albanaí Valentín, Félix Iván Aponte, Maria Caridad del Valle, Bryan McCall, Guananí Cabán, Ricardo Sivael Morales, Tito y yo.

***

...tras un proceso de negociación con las autoridades universitarias, acordamos desalojar la torre de la universidad después de tres días. El acuerdo fue que se dejarían las pancartas y las banderas hasta el día primero de octubre como símbolo de la solidaridad de los universitarios con la causa viequense. Para tales efectos decidimos remover por un día las pancartas para reforzarlas por el fuerte viento. Cuando las teníamos listas no nos permitieron subir nuevamente, como habíamos acordado. El pacto fue violado y la vigilancia redoblada. El día 27 organizamos el concierto *Un canto urgente por la paz* frente a la torre. Esa misma noche, mientras presentábamos el documental *Vieques: crónicas desde la desobediencia*, la volvimos a ocupar...

Este fue el grupo que la ocupó la segunda ocasión, mientras presentábamos el documental con la música en vivo al pie de la torre. Se sumó un grupo de universitarios del área oeste. Entre ellos, Andre Sanfiorenzo (derecha), quien también sería arrestado por penetrar a la zona restringida de la Marina a detener los bombardeos de mayo del 2001.

***

...todo salió tal y como lo habíamos planificado. Sin embargo no hubo una respuesta contundente por parte de la comunidad universitaria. La asistencia no fue la que esperábamos y las expectativas de reclutar gente nueva para la desobediencia se esfumaron esa noche. Los planes de un paro general en el país también. El interés y el compromiso del movimiento en general parecía estar pasmado.

El espíritu de solidaridad se mantenía intacto en la Universidad, es verdad. Pero sabíamos que no era suficiente, que había que darle cuerpo y acto a esa solidaridad. No bastaba lanzarse a piquetes y marchas esporádicas. Con eso no íbamos a ser una fuerza de presión significativa par sacar a la Marina. Insistimos que la desobediencia debía fortalecerse en Vieques y que en la Isla Grande había que intensificar la lucha. Quedaban apenas varios días para la Gran Marcha/Concentración en Vieques, que prometía, además de ser masiva, la entrada masiva de desobedientes al área restringida de la Marina. Queríamos aportar lo más posible a la movilización de la Isla Grande como apoyo y como refuerzo.

29 de septiembre de 2000
Ocupación de la cúpula del Capitolio

COMUNICADO DE PRENSA

San Juan, P.R.- Miembros del *Colectivo de Resistencia Amig@s de Vieques* y *Amigos del MAR* realizan en estos momentos un acto de solidaridad con la lucha del pueblo viequense en la cúpula del Capitolio. Este acto lleva una voz de alerta ante el inminente reinicio de los bombardeos en la isla de Vieques, programados para mediados del mes de octubre, por parte de la Marina de guerra norteamericana y otras fuerzas militares aliadas:

"Nuestra acción es una voz de alerta al pueblo de Puerto Rico sobre la inminencia de los bombardeos en la isla de Vieques y a la vez una convocatoria a la integración a la **Gran Marcha/Concentración** del primero de octubre en Vieques para reclamar la salida inmediata de la Marina de guerra y el cese incondicional de los bombardeos", dijo la profesora Carmen Chazulle, portavoz de ambos colectivos- "Nuestro acto es una invitación abierta a la desobediencia civil en la zona restringida por la Marina de guerra y una manifestación de solidaridad con todos los actos que se realicen en el espíritu de justicia y paz para Vieques como los que hasta ahora han caracterizado este proceso de lucha", añadió Chazulle.

Amig@s de Vieques y Amigos del MAR entendemos que el capitolio debe ser símbolo del espíritu democrático del pueblo puertorriqueño, y nuestro pueblo ha exigido en incontables ocasiones, y de mil modos, la salida incondicional de la Marina de guerra de Vieques, el cese inmediato de las prácticas bélicas y los bombardeos, en fin, justicia y paz para Vieques. Ante la inminencia del reinicio de bombardeos reclamamos por este medio que los representantes del senado y la legislatura expresen el sentimiento del pueblo puertorriqueño pues llevan a su cargo representarlo: nuestro pueblo exige justicia y paz para Vieques, que no se tire ni una bomba más, reiteró la joven profesora.

Gazir y Tito en la cúpula del Capitolio mientras dialogaban con la policía.

"Nuestra acción lleva un marcado carácter de urgencia pues los derechos humanos del pueblo viequense seguirán siendo violados mientras la Marina de guerra siga bombardeando. Por eso reiteramos nuestros reclamos de paz y justicia para Vieques, el cese incondicional de los bombardeos y la salida de la Marina de nuestra hermana isla", sostuvo la estudiante universitaria y portavoz de Amig@s de Vieques, Albanaí Valentín. "Además, denunciamos nuevamente la remoción arbitraria de las pancartas de la Torre de la Universidad de Puerto Rico que leen 'Educamos por la Paz, No pa' la Guerra' y exigimos al rector Hillyer que honre los acuerdos con los universitarios de Amig@s de Vieques y permita volver a colocar las pancartas en solidaridad con la lucha de Vieques, como fue acordado", añadió Valentín.

Bieke
muerte

Ocupación del castillo San Cristóbal y bloqueo a los federales

Recién entrada la noche del 29, un grupo de compañeros del Congreso Nacional Hostosiano ocuparon el Castillo San Cristóbal, como parte de las actividades de apoyo de la Isla Grande a la marcha de octubre. Seguido que bajamos del capitolio nos sumamos a dar apoyo desde afuera. En esta ocasión las autoridades federales intervinieron con los manifestantes y los arrestaron. En el instante en que los federales se disponían a llevárselos, sin pensarlo dos veces, salimos al paso a bloquear su camino...

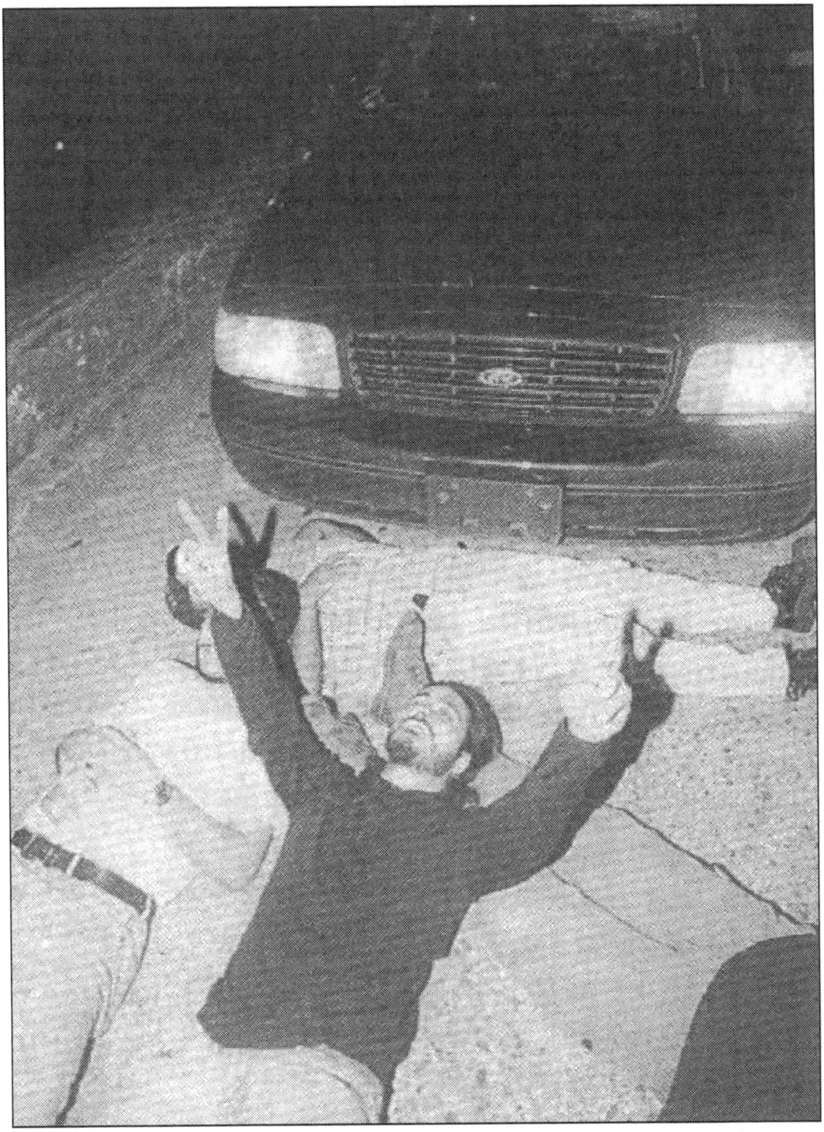

Josué fue removido por la fuerza por un policía estatal. Pero, si las instalaciones del castillo San Cristóbal son "legalmente" propiedad federal, se supone que la policía estatal no tiene jurisdicción legal sobre este espacio. Entonces, ¿por qué intervinieron con nosotros? Porque son unos alcahuetes de los federales, ¿por qué más?

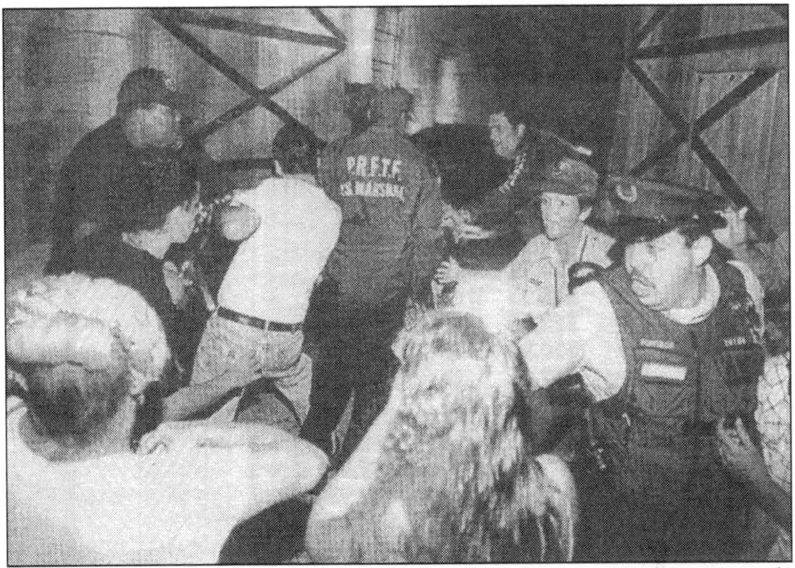

La confrontación no se hizo esperar. No pudieron removernos y los vehículos federales tuvieron que dar marcha atrás. Los "escoltamos" hasta la entrada del castillo. Horas más tarde los federales tuvieron que llevarse a los arrestados en helicóptero.

Tito y Gugui se movieron a una chimenea abandonada en Fajardo para seguir animando la movilización del primero de octubre.

Del 1 de octubre al 5 de noviembre de 2000

...y por fin llegó el primero de octubre. Tito y yo teníamos prohibido volver a entrar a Vieques y, aunque ya habíamos vuelto en varias ocasiones, esta vez procuramos entrar desapercibidamente, no fuera a ser que a los federales maniáticos les diera por intervenir y arrestarnos por violar esa condición de probatoria. Llegamos en lanchas de pescadores que nos recogieron en Ceiba. L@s demás compañer@s esperaban en Vieques.

La movilización fue bastante buena, y una parte del pueblo viequense respondió al llamado. Los ánimos durante la noche anterior a la marcha, en las inmediaciones del campamento de Justicia y Paz, estaban caldeados. Mucha gente estaba en la entera disposición de hacer caer la verja militar; muchos habían venido preparados para ello. La Marina, sin duda, esperaba que algo sucediera y estaba preparada y en vigilia. Esa noche, para su sorpresa, un grupo nutrido entró a los terrenos del área oeste donde la Marina instaló el sistema de antenas de radar ROTHER. Al lado opuesto de donde los militares esperaban la acción de los desobedientes. La noche, sin embargo, pasó sin mayor novedad. Al día siguiente, todo parecía haber dado un vuelco en reversa. Los organizadores de la marcha decidieron hacerla lejos de la verja militar, pusieron una tarima cerca de la playa del sur y allí realizaron sus actos. El desencanto y la frustración de muchos se hizo notar enseguida. En alguna parte, en algún extraño momento, se había conspirado para neutralizar los ánimos de resistencia y la marcha, a fin de cuentas, fue simplemente una más.

Desde entonces, los meses venideros pasarían como estando en Babia. Se acercaban las elecciones generales en el país y demasiados sectores ya habían depositado sus esperanzas en las gestiones que pudiera hacer el nuevo gobierno. Las promesas de integridad y firmeza con los postulados de la causa viequense eran el centro de atención de la campaña del Partido Popular y de la candidata a la gobernación, Sila María Calderón. En Vieques, de seguro, ganarían las elecciones y esa certeza animaba las ilusiones de, en un futuro muy cercano, resolver el conflicto con la Marina de guerra norteamericana. Por su parte, Dámaso Serrano, candidato a alcalde de Vieques por el PPD se había destacado en su pueblo como una persona de principios y lo había demostrado consecuentemente con su participación activa en la lucha por sacar a la Marina. Eso, muy posiblemente, tranquilizaba la ansiedad de algunos y animaba las esperanzas de otros. Pero, como dice el refrán, sabemos que de ilusiones no come el pobre y que, a todas cuentas y como dato histórico, había sido el fundador del partido que ganaría las elecciones, Luis Muñoz Marín, quien auspició con mayor brío la invasión militar norteamericana a nuestra hermana isla. Además, aunque parte del liderato del PPD apoya(ba) la desobediencia civil, esta era y sigue siendo una minoría sin gran poder de influencia. La candidata a la gobernación había sido, durante su incumbencia como alcaldesa de San Juan, muy conservadora y apenas asumía posiciones concretas sobre los asuntos más controvertibles, como el mismo caso de Vieques. Su política policial y clasista en San Juan daba mucha tela por donde cortar. Pero el registro de razones para sospechar puede ser, sin duda, indefinido. Lo que sabíamos con certeza era que esta lucha no se ganaría con las meras gestiones entre gobiernos, como tampoco se ganaría en los tribunales. Esperar de la gracia divina un milagro, o apostar todo a la buena voluntad del nuevo gobierno local o norteamericano, no resolvería el conflicto. La lucha se resolvería, si acaso, con la presión activa, firme y contundente del pueblo, y el modo más efectivo de hacerlo seguiría siendo la desobediencia civil.

...llegó noviembre, las elecciones generales estaban a la vuelta de la esquina y las campañas electorales habían opacado la atención sobre Vieques. En los medios los actos de desobediencia se habían desplazado a ocupar un lugar entre asuntos de menor importancia. Las directrices del presidente Clinton seguían en pie y la Marina seguiría bombardeando por espacio de tres años, entre los que en algún momento se "consultaría" al pueblo. Gran parte del país estaba confiada en que el "nuevo" gobierno retomaría la determinación que, una vez y por poco tiempo, tuvo el gobierno de Rosselló. Era un buen escenario para un acto que dramatizara la importancia de la lucha en Vieques. Los candidatos a la presidencia en Estados Unidos no se habían expresado con firmeza a favor de la resolución del conflicto y tampoco los candidatos políticos de los principales partidos locales habían asumido posiciones claras al respecto. Pero, ¿cómo hacer subir a Vieques al lugar de atención que debiera corresponderle? ¿Cómo dejarle saber al mundo que la resistencia seguía en pie y sin marcha atrás? Cómo demostrar nuestra voluntad y determinación de seguir la lucha hasta hacer salir a la Marina de guerra en definitiva?

5 de noviembre de 2000
Demostración en la Estatua de la Libertad

COMUNICADO DE PRENSA

Liberty Island, NY- Miembros de los Colectivos de Resistencia Amigos del MAR y Amigos de Vieques de Puerto Rico, compuesto por ambientalistas, profesores y estudiantes universitarios, desafiaron la altura de la monumental Estatua de la Libertad colocando una gigantesca bandera que lee, Paz para Vieques, y dos banderas, la de Puerto Rico y la de Vieques. "La Estatua de la Libertad, símbolo del reconocimiento de los derechos humanos e inalienables del Pueblo, fue ocupada como un acto de solidaridad con la lucha que libra el pueblo viequense contra la Marina de guerra y como un acto de protesta por las mortales prácticas militares llevadas a cabo en la isla", sentenció el joven profesor universitario Gazir Sued, uno de los portavoces de ambos colectivos.

Los representantes de ambos Colectivos, que en el pasado mes de septiembre ocuparon la Torre de la Universidad de Puerto Rico y el Capitolio de Puerto Rico en actos de desobediencia civil pacífica, exigen el cese incondicional y la salida inmediata de la Marina de guerra de los Estados Unidos del suelo viequense.

"Los colectivos de resistencia Amigos del MAR y Amig@s de Vieques exigen, además, una postura honesta, firme y contundente de los candidatos a la presidencia de los Estados Unidos", añadió Albanaí Valentín Narváez, una de las portavoces y estudiante de la Universidad de Puerto Rico.

"Con la ocupación de la Estatua de la Libertad llevamos la intención de acentuar el carácter de urgencia de los reclamos de justicia y paz del pueblo viequense, y a la vez expresamos el sentir de la comunidad puertorriqueña que, abatida por el dolor de Vieques, urge por la respuesta inmediata y honesta de los candidatos a la presidencia sobre estos justos reclamos", sentenció Valentín Narváez.

Vieques, una de las islas del archipiélago de Puerto Rico ha sufrido por más de 60 años los incesantes bombardeos con balas vivas y otras prácticas militares por parte de la Marina de guerra de Estados Unidos y las fuerzas armadas de la OTAN. "Los efectos de estos bombardeos se han evidenciado en las muertes de civiles puertorriqueños, en la mutilación de jóvenes y niños, en los problemas de salud y en la contaminación ambiental ocasionada por el uranio, aluminio, plomo, arsénico y mercurio proveniente de las prácticas militares. Además, estas prácticas limitan el proceso de educación de los niños y niñas viequenses por el ruido y el estremecimiento de la tierra y edificios", denunció Valentín Narváez.

Comunicado de Prensa

New York, NY- Ayer, desde tempranas horas de la mañana, la estatua de la Libertad fue ocupada por activistas puertorriqueños en un acto de solidaridad con la lucha por la salud, el ambiente, la justicia y la paz, que libra el pueblo viequense, contra la Marina de guerra norteamericana. Durante el acto fueron colocadas en la corona de la estatua dos gigantescas pancartas que leían "Peace" y "Vieques", y las banderas de Puerto Rico y de la isla municipio de Vieques. Además se distribuyeron hojas sueltas denunciando la alta incidencia de cáncer en la isla debido a los bombardeos.

Como consecuencia de estos actos, fueron arrestados siete activistas a quienes las autoridades federales radicaron cargos por manifestación ilegal, distribución ilegal de hojas sueltas y desobediencia a la ley. Los activistas por la causa de Vieques, tras ser arrestados, permanecieron encerrados y esposados por más de diez horas, sin permiso a acceso a llamadas telefónicas, sin agua ni comida. Luego de un extenso interrogatorio fueron fichados por la policía de Nueva York, multados y, posteriormente, puestos en libertad, pasadas las diez de la noche, con excepción del ambientalista puertorriqueño Alberto de Jesús, que espera juicio hoy a las dos de la tarde en el tribunal federal de Manhattan.

Camila Gelpí, Irmarilis González, Tito Matos, Mariana Reyes, Gazir Sued y Albanaí Valentín, en el momento de salir de la vista judicial donde fueron multados.

Los activistas arrestados han denunciado el maltrato durante el proceso y que la radicación de tales cargos es una de corte discriminatorio y político. "Ejercimos nuestro derecho constitucional a la libertad de expresión y lo hicimos pacíficamente. La policía nos trató injustificadamente como delincuentes o criminales mientras ejercíamos nuestra demostración. Además, los cargos radicados son injustos, pues de ninguna manera por nuestra acción se vieron afectadas las actividades regulares en la Isla o en la Estatua", denunció Gazir Sued, uno de los activistas arrestados y que es portavoz del grupo. "Nuestra intención era llevar a la luz pública norteamericana el sentir del pueblo viequense y denunciar los efectos mortales de las prácticas bélicas de la Marina. Lo hicimos como parte de nuestro deber ciudadano y fuimos tratados como criminales sin razón justificatoria alguna", añadió Albanaí Valentín, otra de las activistas arrestadas.

Hoy, a las dos de la tarde, los activistas puertorriqueños y miembros de distintas organizaciones solidarias con la lucha de Vieques se darán cita frente a la nueva corte federal de Manhattan para asistir a la vista judicial de Alberto de Jesús y exigir su inmediata e incondicional puesta en libertad.

***

Carta en solidaridad de Ismael Guadalupe

Compañeros:

Vieques- A pesar de que nuestro Comité Pro Rescate y Desarrollo de Vieques envió un comunicado de prensa felicitando por la colocación de la bandera nacional de Puerto Rico y la de Vieques en la mal ubicada estatua de la libertad, quiero personalmente sumarme a los muchos puertorriqueños que nos sentimos tan orgullosos de tan atrevido y heroico acto.

Fue precisamente en el pueblo de Lares, en la conmemoración del Grito de Lares, que en el mensaje que se diera a nombre del CPRDV se planteó que la desobediencia civil como método de lucha debía ser llevada tanto en la Isla Grande como en las entrañas del monstruo. Los compañeros, entre los que se encuentran tanto Tito de Jesús al igual que el compañero Gazir y los otros, con la acción de la colocación de las banderas, dan forma a este llamado. Hoy muchos miles de norteamericanos y personas en otros países, que quizás desconocían la situación de Vieques, han tomado conocimiento de ello.

No hay un lugar más apropiado que esa estatua para dramatizar las contradicciones del gobierno norteamericano. Quien levanta en su suelo un símbolo de paz y justicia, pero niega esa paz y justicia a pueblos como Vieques, no merece ese honor. La acción de los compañeros al colocar nuestros símbolos patrios le restituyen el verdadero significado a la estatua.

Hay que seguir, con acciones como esta para ganar la lucha del pueblo puertorriqueño.

Tras habernos negado a pagar las multas, volvimos a NY a dar la pelea. Mientras tanto, seguimos poniendo a Vieques a sonar...

Alba, Tito y Aura ocuparon una escultura frente al cuartel general de la policía de Nueva York.

Defensa de Gazir Sued ante el Tribunal Federal de New York[1]

"La libertad cuesta muy cara,
y es necesario decidirse a pagarla por su precio,
o resignarse a vivir sin ella."
J. Martí

Your Honor:

I would like to make a brief statement of conscience of those principles that guided our actions in order to leave no doubt of the political intentions that moved us, as civilians and citizens, to make a peaceful demonstration in the Statue of Liberty. I want to make sure and clear that there is left no space of misunderstanding neither an underestimation of the will of freedom, peace and justice that lies beneath our actions.

***

I am not denying what I have done. By refusing to recognize that I have violated any law I'm not refusing to accept the responsibility of my acts. On the contrary, what is the matter of course in this trial is not to find out what is the truth but to recognize the truth, to embrace the meaning of it and to be sensitive to its motives. And the truth of what happened is not hide anywhere because we never denied that we did what we did. The only thing that could cloud the truth is the suspicious intentions behind the charges I am accused of. We never intended to hide our

[1]Este escrito fue preparado para ser presentado ante el juez federal en NY antes de que dictara sentencia. El juicio, que estaba pautado para el viernes 9 de marzo del 2001, fue pospuesto el día antes. Sin embargo, fue utilizado para delinear la estrategia de defensa. El juicio se celebró el 23 de mayo, ante el juez magistrado Frank Mass. Alberto de Jesús ya había sido encarcelado. Tras haber sido declarado culpable por el delito de "trespassing", los federales revocaron su probatoria y dieron orden para su arresto. También Alba, junto a otros compañeros, por haber penetrado al área de tiro de la Marina durante los bombardeos de finales de abril. Desde la fecha en que este escrito fue terminado fue puesto a circular en www.viequeslibre.org.

act. It was a public act, precisely because we all know the law as well as our constitutional rights. And it could not have been any other way. That's why I never resisted the arrest, neither I intended to escape or became a threat to the legal authorities.

The Facts

Early in the morning on the fifth of November last year, after we paid our tickets, we took the public ferry and arrived to Liberty Island. We made the usual lines, as everybody usually does, we waited for the opening hour, passed through the security machines (x rays and metal detector) and walked all the way up stairs to the crown room on top of the Statue of Liberty. Once our friend was in the roof of the Statue (action which took place in less than twenty seconds) trying to hang the banners that read *Peace* and *Vieques*, we stayed in the crown room helping him with the details of the action. What kind of details? Well, as you may know by the press and also may have laughed at it -for example- when we noticed that we have left downstairs the ropes to hang the flags and the banners and we all had to take out our shoe ties to hang them; or when we have to get another sun glasses because the first one fell down with all the food supply: a chocolate bar.

Some minutes later (as the tourists were looking out the window to see what was happening and to take pictures), we heard a voice in the intercom asking if anyone had seen someone in the roof. Then we knew that sooner or later some officers could come to see for themselves what was going on. We remained there speaking with the tourists while they were passing by, until one officer arrived. His last name was Parlanti (#482). We tried to dialogue with him but he refused to listen. (This must be recorded in the security tapes of the Statue.) Then I asked someone to hand me a "flyer" so he may read our reasons but, even though he took it, he refused to read it. Then, less than five minutes later, arrived officer Jimenez, a Puerto Rican officer. He assumed a less intolerant attitude toward the situation at hand.

Now I will tell not only what really happened that day in the Statue of Liberty, but also why it happened. The fact is that I was on the Statue of Liberty with a group of friends exercising our constitutional rights as citizens of the United States by doing a peaceful demonstration in solidarity with the struggle for peace in the Island of Vieques, Puerto Rico. We wanted the city of New

York, specially the thousands of people of Puerto Rico that live here, to maintain their solidarity and to keep up the struggle for Vieques. Honestly, we all wanted the world to notice the suffering of our people and to understand our national cause of peace and justice. We are all proud that we gave a magnificent example of the will and determination of our people to do what is just and right.

It was also a context of general elections in Puerto Rico and in the United States. We wanted to communicate a clear message to the politicians: the struggle continues. And we sure let them know that we were determined to keep on fighting for our cause. But let me make clear that our manifestation was only a part of the thousand of activities in solidarity with the cause of Vieques around the world and in opposition to the military practices as well. As a matter of fact I can say that right now, while I'm speaking, somewhere a parallel demonstration is taking place.

Charges and fines

Now, why is it that I am refusing to recognize that I have violated the law and, of course, refusing to pay it fines? I am saying that I didn't violate any law but exercise my civil duty as it is protected under the First Amendment of the Constitution.[2] I was part of a political demonstration[3] and I was exercising my civil liberties that, at least in the rhetoric of the dominant theories, supports the democratic principles of freedom of speech, of reunion or assembly, as rights, not privileges.[4] And they are surely

---

[2]According to the Director's Order #53: Special Park Uses (8. First Amendment Activities) of the National Park Service, a typical example of a political event (as a First Amendment activity) includes public demonstration, assemblies or other forms of public expression of opinions and views. (See National Park Service; Director's Order #53: Special Park Uses in http://www.nps.gov/refdesk/Dorder53.htm, in appendix #1).

[3]Our demonstration was a political one, as we told the official park authorities. (See National Park Service Supplemental Criminal Incident Record (appendix #2): "...Sued advised me that they were making a political statement in regards to the bombing range in Puerto Rico (...) the rest of the group were verbally telling the visitors about their cause.)

[4]I think it's important to make the distinction between a *right* and a *privilege* in order to determine if our acts were part of an exercising of our constitutional rights or not. From my point of view I sustain that our

based on the faith of human beings and, at the same time, on the radical opposition to any authoritarian practice or tradition, as we all know. Then, it is my duty as a civilian to keep awake my state of consciousness of it as well as my sense of individual liberty in a society, as it is regarded in *our* constitutions as natural birthrights.

To make my point more clear, I have to say that I think that I've been charged not because I have violated any law but because I was part of an activity based in the same principles that are supposed to sustain any law in a society that claims to be democratic. I was part of an act of freedom of expression by helping to place the banners that read *Peace* and *Vieques* outside the head of the Statue of Liberty. And this is not a matter of legal rhetoric but of justice and right interpretation, which means assuming an ethical as well as a political positioning respect the critical situation that moved us to do the act. We live in Vieques a State of Necessity as we, the people of Puerto Rico, have insistently prove and denounced over the years. It would not be fair to isolate our act from the general context in which it took place and the spirit of peace and justice that moved our actions.

I know that I have the fundamental right to free speech and, at the same time, the right to exercise freedom of belief, which means not just religious belief but also ideological and political. According to those rights we can publish and distribute literature in order to approach our particular political, moral or religious objectives or our general wishes and hopes, if it was the case. In other words, I, as a civilian and a human being, have the right to think and feel by my self and express my own thoughts and feelings without the fear of a coercive and oppressive state power that threatens those rights. The same could be say of the constitutional right to assembly. Both rights are treated as separate realities of the judicial process, but they have the same roots and essence in their common and every day applications. The people have to get together, to be reunited, assembled, in order to make any collective action, as could be the exercising of their freedoms, civil duties and human rights…

---

demonstration didn't contradict the National Park Services intentions in its regulations, because we didn't put in danger nor the visitors, nor the park resources and values, which constitutes the main reasons of the existing regulations. (See National Park Service; Director's Order #53: Special Park Uses in op.cit.; appendix #1).

Charge #1: Illegal Distribution of "printed matter"

But I have been accused by the official authorities of an illegal distribution of literature (printed matter) and charged with a fifty dollars fine for it. Officer Parlanti sustained as his personal observation in the *Statement of Probable Cause* form –and I quote-:

> "Defendant was handing flyers to visitors which asked why they were demonstrating. Note: visitors were unable to go to and from the crown due to them blocking their path."[5]

Technically this is not true, and I will tell why.[6] At the time when the policeman arrived to the crown room of the statue I wasn't distributing anything because I was doing something else, as I stated before. I was voluntarily in charge of maintaining visual contact and communication with the friend in the outside. The only "printed matter" that I gave to anyone was to the first officer that came up to the crown room.[7] And it was for two simple reasons: First, because he refused to listen what we were trying to say: which was the reasons why we were there 1) distributing these "printed matter" 2) and watching for the security of our friend while he was in the outside making a peaceful manifestation by putting two banners in the head of the Statue and our national flag and the one of Vieques -as I stated previously-. The second reason why I gave these "printed matter" to the officer was because we wanted him to know, as a civilian, what was going on in the Island of Vieques, the health problems of their inhabitants and the ecological devastation caused by the military practices of the US

---

[5]See Officer Parlanti's "personal observation" in his *Statement of Probable Cause* form in appendix #3. I could also say that we were answering the question why to the visitors by handing out the flyers. Which means that they, the visitors, by accepting the flyers, if not became part of the demonstration, certainly were not against it or complaining at all.

[6]It is important to notice that we did not violate any of the rules officially required for the distribution of printed matter as appears in the National Park Service Application for Permit to Distribute Printed Mater. (See appendix #4.)

[7]The "printed matter" that I gave to officer Parlanti was the press release of our organizations: Amig@s de Vieques y Amigos del MAR. (See appendix #7).

Navy. But –I ask myself- should it matter to the law the content of the "printed matter" before it makes the decision to permit it or to prohibit it? According to the First Amendment, the content of the message shall never be subject to these regulations (at least if it doesn't stands against the proscribed contents as *exceptions*). But I think that, at least, while we still being humans and not mere machines, the officers of the law ought to listen to the civilians before making any determination or taking a course of coercive action. And this is not an utopia or a naive illusion. It is a fact that we were not selling or promoting any private product of consumption with this "printed matter". We were asking for the empathy and solidarity with the life of a friend.[8] And of course there is a radical difference between both contents and actions. The law, in a democratic society, must see that difference, not denied it; be sensitive toward it and not repress it or be intolerant as commonly occurs in authoritarian regimens.

I know that the officers in charge then did not care why we were there, that's for sure. But we sure knew why we had to stay there, so we stayed... all together. That's why I suppose they accused us of performing an illegal assembly, which is the second charge.

Charge #2: Unlawful Demonstration/Assembly

But, what could an unlawful demonstration or assembly mean in the context of my action in the Statue of Liberty? As I see it, I have been accused of committing the *crime* of being together with a group of friends. Or is it that I should have asked for permission first? I think not. This is not the way things happen in a democratic state. At least this is not how it is supposed to work in a society based on democratic principles. I have the fundamental right of assembly. That's a fact, and the officers of the law have to respect that. Even though it may looks as a minor charge, a fifty dollars fine, I think is a serious accusation because it makes us aware that the police that made the charges does not know the law that they are supposed to protect. It means, at least, that our basic liberties and fundamental civil rights are in clear and present danger.

---

[8]See copy of the flyer (printed matter) that we were distributing to the visitors, in appendix #8.

As we all know, the concluding clauses of the First Amendment stand clear that the law cannot abridge the right of the people to peacefully assembly. The Constitution clearly gives a broad protection to the right of people to gather as well as to protest against a course of action to which we could be opposed. Any way, we were not impeding or obstructing the free and normal movement inside the Statue, as officer Parlanti sustains in his "personal observation" for the *Statement of Probable Cause* form.[9] On the contrary, we wanted the fluid movement of the people so that they may notice why we were there and, especially why was someone in the roof. But the security officers made a spectacle of coercive power and closed down the activities in the whole Island. That was an unnecessary show of force. While we wanted the people to stay normally (so they could have direct information of our demonstration), the police closed the Statue and dislodged the people from the Island as if we were threatened with violence or as if we were about to blow up the place. This hysterical action may sound funny because it was a ridicule action too, but it also had a very serious implication. They didn't want to listen to us and they acted by their prejudices and speculations; we were peacefully gathered as part of a peaceful manifestation and we were not interfering with the normal activities in the Park and they treated us like delinquents, criminals or terrorists. This was a lamentable action in view of the democratic principles of our contemporary world, ironically represented in the Statue of Liberty.

About the peaceful civil action as a right and the law

But, does a "peaceful" action make that action legal? Not necessarily. I know that the word "peaceably" in the First Amendment has been historically interpreted to mean that legally constituted authorities may place some rules around these rights, and I quote:

> "Freedom of speech (…) and assembly are rights, not privileges. However, the courts have recognized that activities associated with the exercise of these rights may be reasonably

---

[9]Parlanti sustains: "Defendant also impeded the flow of visitors going to and from the (crown) of the statue by blocking their path." See appendix # 9.

regulated to protect legitimate government interest."[10]

I also know that the freedom to assemble does not mean that I may use it to destroy or put in danger the lives, liberty or property of other people as stated in the document just quoted:

> "Therefore, the National Park Service may regulate such aspects of first amendment activities as the time, place and manner where they are conducted in order to protect park resources."[11]

But I certainly know that the regulations of this right of freedom could not be a restrictive mode of control or a repressive rule or legislation. That's why it doesn't mean that it is illegal not ask for permission. Respect of the rights of free speech, as the right to reunite and communicate, is fundamental to our democratic relations in our societies; especially with the relation between civilians and the law enforcement authorities.

As we all know, the possible limitations of the civil rights have been more severe during what the state governments may called "time of crises" or when the legal and dominant powers signifies the conditions as a threat or endangerment to the social *order* or the *security* of the nation (as it has happened during students or workers strike contexts or during war time). But, evidently, that wasn't the reality that day in the Statue of Liberty.

Order and liberty / freedom and law

I know that the principle of order and the principle of liberty have been saturated by conflicts of interpretation and contradictions, especially in contexts of social tensions. I also know that historically the state authorities have had under suspicion the intentions of the people that claim their rights or struggle for them. The basic premise is that governments have the responsibility of maintaining order and upholding the form of

---

[10]See RM-53 Special Park Uses: First Amendment Activities; Appendix 3 p.A3-1. See appendix #10.

[11]Idem.

political order established by the Constitution. But we all know that this has been used as an excused to discriminate and persecute the citizens who have invoke the protection of the Bill of Rights against the government, usually in the name of Liberty. But, in my case, even if it could seem to be a contradiction between my civil liberties and the law, between my constitutional rights and freedoms and the order established according to it, the contradiction is only in its surface, in its appearance. These fines as well as the procedures, reminds me of the histories of suffering, of social, racial and ethnic prejudice and discrimination and political persecution experienced by thousands of citizens during the Cold War period. I still have hope in the social struggles and experiences of the past decades that have vindicate those democratic rights that the repressive minds of the governments and its courts have tried for so long to eradicate.

From my ethical and political point of view, the charges and fines of illegal distribution of literature and of illegal assembly belongs to an old repressive tradition that fears the democratic liberties and the differences that its principles recognize and defends. Another evidence of it is the accusation, the charge and the fine against me because of the act of supposedly disobeying a lawful order. I will explain why…

Charge #3: Disobedience of a Lawful Order

This is what officer Parlanti, as his personal observation and investigation, sustains in the *Statement of Probable Cause* form, and I quote:

> "…I directed defendant and his group to go down the steps of the crown so that I could clear the area. Defendant refused to go down and he continued to hand out flyers. At this time (when additional police officers arrived) defendant was arrested."[12]

This is what really happened: Once my friends went down stairs, voluntarily and with the false illusion of not being held as prisoners, as the security officers promised them, I stayed in the

[12] See Parlanti's Statement of Probable Cause for the charge of "Disobey Lawful Order" in appendix #11.

crown room with the other guards. I asked them to let me be the interpreter and intermediary of my friend in the roof and they allowed me to be so. I stayed with their authorization; not against their will but according to the deal we have made at that moment. Otherwise, how else could I have been there and for how long if it wasn't because the legal authorities let me be there? So the charge of *disobedience* of a *lawful order* is, technically -at least- of no sense. If there is still any doubt about it, ask the Puerto Rican officer Jiménez, or see the videotapes of the security cameras or ask any of the people that were there at that moment. I went out the window many times to speak with my friend and tell or ask the questions they made him through me. I did it, evidently with their permission. But, nevertheless, I have to say that I was decided to try to stay up there to watch out for the safety of my friend in the roof. Not because I was worried of his excellent climbing abilities, even in the worst conditions, but because I didn't trust the people who were trying to force him down. But it didn't turn out to be a dramatic episode of peaceful resistance against lawful authorities but a simple pact of understanding between civilized people dealing with a social situation of differences. At least that was what I first thought…

Later, with no reason of threat, one of the officers decided to cuff me. I asked them why. They told me something like "…because that's the way it is". Even thou I resented the change of attitude toward me, I did not resisted the arrest. And I have to confess that, before they cuffed me, I truly thought that there was a possibility of mutual comprehension: they were doing their jobs and we were doing ours; they were acting according to their official authorities an we were exercising our civil rights and duties. A dialogue was formally established and I thought that *they* were open to an understanding of the situation; but it was just an illusion of it, maybe a naive expectation of my part. I could have resisted peacefully the detention, maybe by sitting in the floor or perhaps by cuffing myself to the fence on the crown room. But I didn't. While I tried to keep my faith in the possibility of a civilized relation I had to submit to the capricious will of their legal authority. Then I spent almost an hour or more doing the same thing that I was doing, with their authorization, before they cuffed me: maintaining communication with my friend in the outside and serving as an intermediary between both parts.

Since that arbitrary and capricious decision I was cuffed with my hands in my back for more than twelve hours. Which, by any means and according to the principles of human dignity, was an act of abusive treatment and an act of violence and physical torture. It hurts to be cuffed and they, as we all, knew it. So they were causing unjustified pain and physical damage on purpose. I don't know yet if it was a lawful action, but I sure know that it was, at least, a painful and cruel one to me and to my friends. The police didn't have any reason at all to treat us in the way they did. As it wasn't then, it is not a justifiable practice to let the civilians cuffed for so long, especially when they do not represent any threat. They let us cuffed even when we were locked up in jail, while they filled the bureaucratic part of their repressive practice. And I asked myself, is it usual to let the people cuffed up even while they are imprisoned or it was just another case of discriminatory treatment against our people, los puertorriqueños?

Against the repressive reasoning of *security*

I keep asking, is it a reasonable justification to say that *they* acted as they did for the sake of security of the people or the structures in the park? May be. But, was at any moment danger to lives, or even to the tranquility of any person in the Island? No. Was -at any moment- risk of damage to any state or federal, public or private property? We all know there wasn't. Did we damaged or destroyed anything at all to do our peaceful demonstration? No. It is a fact that the police officers and the authorities in charge of the security in the park treated us abusively like criminals or terrorists. Could they give us any justifiable reason for their attitudes and actions against my friends and me? I think not.

As a matter of fact, when we were arrested they did not even read our rights at any time. Nor while they were interrogating us and taking all the personal information as well as taking repeatedly the dactyl prints in the park area or in the police station up in Staten Island. It may seem that they were so busy dealing with their imaginary insecurities that they forgot the basic principles of their jobs: to respect our rights.

I think security, in a democratic society, should not mean only the protection of material properties or the mechanic application of rules. Security should mean -first of all- the recognition and respect for the constitutional rights and liberties of the people. Especially when they are acting peacefully for a just cause, as we sure did in the Statue of Liberty.

An anecdote of our flag and the discriminatory treatment of the police

And that's not all. What happened with our national flag when they took it down the crown of the statue? I would like to briefly relate this anecdote. While we were waiting in the floor to be moved to the police station, almost six or seven hours after our arrest, the police left in the dirty floor the flag of my country and of Vieques. To all of us it was a disrespectful action of the police and a sign of their will to provoke us to act in a different manner. Our flag, as it is for the citizens in the United States, for the people of Puerto Rico represents their beliefs, their histories as a nation as well as their unique collective identity, their most appreciate cultural and political values, their ethical and moral principles as a society. That's the main reason why we hung our national flag and that of Vieques, in the crown of the Statue of Liberty. I asked the officers to raised it off the floor and, while some of them laughed, the official of higher rank refused to consider my petition. I insisted several times. They just told me to shut up and to be quiet until they took us to the boat to a Staten Island prison. Once again they showed a disrespectful and an intolerant attitude toward us, los puertorriqueños.

About the selective prosecution

I am in trial because I have refused to recognize the charges against me and to pay the fines, because I understand that they are arbitrary, discriminatory and unjust as well as a legal way of despise the democratic principles consecrated in the Bill of Rights of our constitutions. I am convinced that the demonstration that took place in the Statue of Liberty was a legitimate action protected by our basic civil rights and that the charges and fines are out of place in that matter. And I must say that, with no doubt at all, my friends felt the same way as I do. That's why they refused with to pay the fines. I'm absolutely convinced that they were all ready to go to trial to defend this same position and their just and rightful convictions. Even though, I have to confess that I am truly happy because the charges against my friends were withdrawn. But something pushes me to doubt of the intentions of the prosecutors by leaving me alone with all the charges. If they were exactly the same, why is it that I have been submitted to a selective prosecution? We were accused of the same charges and we all refused to pay the fines because of the same reasons.

I asked the prosecutors why the selectiveness and they refused to tell me. As it appears it seems to be a common discriminatory practice of the judicial system or an arbitrary act of the prosecuting authorities. Anyhow it is stills a genuine doubt that will remain during the whole trial.

The withdrawal of the fines of my friends may have seem at first as justice been done. But it wasn't. I suspect that they have let me all the charges because they think that I am the "conspiratorial leader" of that "subversive" act that took place in the Statue of Liberty and which was that of exercising our constitutional freedom of speech against the military practices of the US Navy and, doing so, in solidarity with the struggle for peace in our Island of Vieques, Puerto Rico. But, what evidence could they have for such a suspicion? Simply. They took out of my backpack a philosophy book, which –I think- might leads them to think I must be the "mastermind" of the act. But this kind of "evidence" based on prejudice is not enough to prove anything. They needed something else. And they had it. They took from me also a notebook with drawings of the places in the Island that we, collectively, decided to have people on with cameras to record and document the activity. That's all. They might think that my notebook is the "leading evidence" to prove my "conspiratorial will" of this "illegal or subversive actions" I am charged for, or something like that. But, if some one asks me, I may say that they might be watching too many movies. But also I have to say that I think that their suspicious attitudes and their repressive actions should not have any justification today, in view of the democratic principles and expectations of *our* societies.

Inverting the play: in the making of justice

By refusing to pay the fines I am evoking and encouraging the fundamental democratic principles of *our* constitutions and at the same time denouncing the abusive treatment we were submitted that day by the New York police authorities. Speaking of the Bill of Rights, Thomas Jefferson once said: "…those rights are what the people are entitled to against every government on earth, general or particular; and what no just government should refuse or rest on inference." In a democratic society the government is, then, supposed to exists in order to preserve those principles written on the Bill of Rights of *our* constitutions. To speak freely and to attend a meeting, to circulate petitions as well as to criticize our governments or governors, our judicial system or our judges, our courts or legislators are activities protected by the first article of the Bill of Rights of the Constitution. But the first responsibility as well as the first condition of it possibilities resides on the action of every one of us, as individual persons, as citizens with a wide sense of justice and rightness. And that sense means to respect and obey the law only if it sizes our sense of justice and rightness. This is what the Statue of Liberty still represents, at least for those who still believe in the political principles written as rights in the Constitution. That's why we chose the Statue of Liberty to make our rightful demonstration.

I believe that if we, the people, are up to keep our liberties, we must have a less restrictive view of what law should mean and, instead, try hard to be more sensitive to what human beings really are and what their most genuine necessities are. The law may not keep the faith in the good will of human beings, but the right does, as *we* must. This is the first condition of the possibilities of freedom in a society that aspires to become some day a democratic and just one. That's the most important value of the illusions of "free will" in our society; that's what conscience is all about…

But I keep wandering, would it be true what some people say, that in the United States Liberty is just a Statue? Honestly, I hope not…

Comunicado de Prensa

A juicio por demostración en Estatua de la Libertad

22 de Mayo de 2001

New York, NY - Mañana será enjuiciado por el tribunal federal de Nueva York el joven profesor universitario, Gazir Sued, por cargos relacionados a la manifestación en solidaridad con Vieques en la Estatua de la Libertad, el pasado mes de noviembre. Durante la manifestación, donde se colocaron sobre la corona de la Estatua de la Libertad dos gigantescas pancartas que leían Paz y Vieques, la bandera de Puerto Rico y la de Vieques, Sued fue arrestado junto a Alberto de Jesús (Tito Kayak) y otros siete manifestantes. En días recientes Alberto de Jesús fue declarado culpable por el delito de "trespassing" y Sued enfrenta tres cargos: desobediencia a la ley, reunión ilegal y distribución ilegal de material impreso.

Sued, quien es portavoz del Colectivo de Resistencia Amigos de Vieques y Jinetes por la Paz, se encuentra bajo probatoria por penetrar a la zona prohibida de la Marina y, de ser declarado culpable en alguno de los casos, las autoridades federales podrían revocársela y ordenar su arresto y convicción. "He sido objeto de un proceso judicial selectivo y discriminatorio por parte de las autoridades federales en Nueva York. El magistrado a cargo ya ha negado reconocer mi línea de defensa, que es el derecho constitucional a la libertad de expresión y el derecho sagrado a protestar las injusticias que protege la ley. La fiscalía, que trabaja abiertamente para la Marina de guerra, quiere convertir nuestro acto de solidaridad con Vieques en un delito común y usarlo de pretexto para arrestarme", denunció Gazir Sued. "La decisión del juez augura ser, como la de todos los anteriores en Puerto Rico, una decisión política con respecto a la lucha que se libra en el pueblo de Vieques contra la Marina de guerra. Quieren intimidar a nuestro pueblo con sentencias cada vez más severas, injustas e irrazonables. Ante estos atropellos judiciales mantendré firme mi defensa", sentenció Sued.

El juicio se llevara a cabo en el Tribunal Federal de Nueva York el miércoles 23 de mayo a las 10:00 ante el Magistrado Federal Frank Maas en la sala 5ª.

Comunicado de Prensa

Culpable por cargos en Estatua de la Libertad

23 de Mayo de 2001

New York, N.Y.- El profesor universitario Gazir Sued fue declarado culpable hoy por los cargos relacionados con la manifestación de solidaridad con la lucha de Vieques, realizada en la Estatua de la Libertad el pasado mes de noviembre. Sued, junto a los demás manifestantes que fueron arrestados durante la protesta, se negó a pagar las multas por entender que los cargos eran irrazonables, discriminatorios e injustos. Mientras que las autoridades federales retiraron los cargos a los otros manifestantes, eximiéndolos de pagar las multas, a Sued le dejaron los cargos de desobediencia a una orden de ley, reunión ilegal y distribución ilegal de material impreso. Tras el magistrado federal, Frank Maas, haber denegado la línea de defensa basada en el derecho constitucional a la libertad de expresión y de reunión, la defensa de Sued se estableció con relación a los hechos y los cargos demostrando, la falsedad de los argumentos presentados por la fiscalía federal.

"En la sala del tribunal federal se demostró, sin dejar lugar a duda alguna, que los cargos que pesaban en mi contra fueron fabricados. En ningún momento la fiscalía pudo demostrar que yo cometí delito alguno. Incluso, según la propia evidencia de fiscalía, se contradecía el testimonio del policía acusador y los hechos." -relató Sued, portavoz del colectivo de Resistencia Amig@s de Vieques.

En julio del año pasado, Gazir Sued, tras haber permanecido treinta días en la prisión federal, fue sentenciado a un año de probatoria por el juez Laffitte, por penetrar al área restringida de la Marina en Vieques a detener los bombardeos. "La decisión del Juez federal fue una decisión política pues toda la evidencia que se presentó en el tribunal daba lugar a eximirme por completo de los cargos. El Juez sabía que las implicaciones de su veredicto no serían económicas sino que darían lugar a la posibilidad de que le gobierno federal en Puerto Rico decidiera revocarme la probatoria y encerrarme nuevamente. Ese es el mayor riesgo que ahora mismo enfrento." -denunció Sued.

Sued actualmente considera, en lugar de pagar la multa, la posibilidad de apelar la decisión del juez Maas ante un tribunal federal superior.

***

...el lunes antes del juicio Albanaí sería encerrada en la prisión federal de Guaynabo, junto a otros compañeros, por penetrar a la zona restringida de la Marina durante los bombardeos de finales de abril del 2001. Tito Kayak ya estaba en prisión días antes por haberle sido revocada la probatoria, consecuencia de la determinación del juez federal de NY de declararlo culpable por el delito de "trespassing" en la Estatua de la Libertad. De vuelta a Puerto Rico, mientras esperaba la posible orden de arresto, comencé a trabajar en este libro y a actualizar la presentación documental. Seguiría trabajando hasta terminar ambos proyectos o me viera forzado a irme a Vieques, donde sólo ahí me dejaría arrestar. Hoy ya es 13 de junio mientras relato estas crónicas. Para el 18 está pautado el reinicio de los bombardeos y partiré muy pronto. Mi tarea y la de mis amigos de la resistencia y compañeros de riesgos, como hace ya algún tiempo: ¡Desalambrar!

Abril- Mayo de 2001
A desalambrar

Esta verja no caerá sola... ¡La vamos a tumbar!

Comunicado de Prensa
Entran siete al área de tiro

27 de abril de 2001

Vieques, PR- Durante tempranas horas de la madrugada, siete jóvenes del *Colectivo de Resistencia Amig@s de Vieques* (CRAV) penetraron a la zona restringida de la Marina de guerra en Vieques, con el fin de llegar a la zona de bombardeo y detener las prácticas bélicas. Decididos a representar con esta acción los principios de Justicia y Paz para Vieques, estos jóvenes universitarios se han sumado a los actos de desobediencia civil como la única opción presente que nos queda al pueblo puertorriqueño ante la intransigencia militar y su consecuente repudio a la vida y al ambiente de los viequenses.

"Las autoridades militares están enteradas y conscientes de la presencia de vidas humanas en el campo de tiro. No deben continuar con el bombardeo. Nuestro pueblo lo ha pedido mil veces y de mil maneras distintas. No podemos permitir que la Marina siga bombardeando esta Isla y matando poco a poco a su gente con los venenos tóxicos de sus bombas. Haremos todo lo que tengamos que hacer para detenerlos. Y lo haremos estando en el campo de tiro", afirmo Albanaí Valentín, una de las portavoces del CRAV que penetró a la zona de tiro. "Lamentablemente todos los canales de diálogo parecen haberse agotado y los militares han ignorado descaradamente la determinación de Paz de nuestro pueblo. No nos queda, al momento, otra opción. Detendremos los bombardeos con nuestra presencia en el campo de tiro. Es un gran riesgo, pero por la Paz en Vieques lo vamos a enfrentar." -expreso Félix Aponte, otro estudiante universitario que adentró en el área restringida de la Marina.

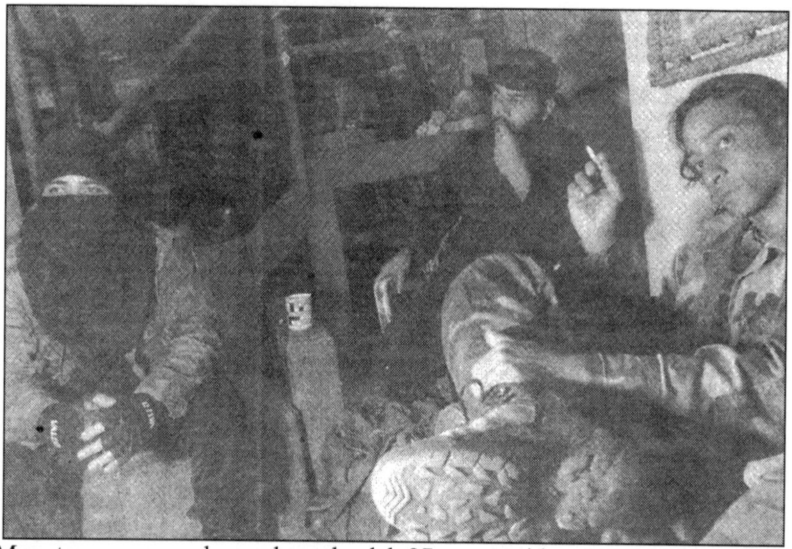

Muy temprano en la madrugada del 27, enseguida que aseguramos que nuestros compañeros ya estaban de camino, convocamos a una conferencia de prensa para anunciar su entrada... y las que vendrían.

"Exigimos el cese inmediato, incondicional y definitivo de los bombardeos en Vieques. Exigimos Paz y luchamos por ella, como lo hemos hecho durante los últimos dos años. Repudiamos la arrogancia, la intransigencia y la insensibilidad de la Marina de Guerra norteamericana y responsabilizamos a este cuerpo militar de cualquier incidente lamentable que pudiera ocurrirle a nuestros compañeros que han penetrado al campo de tiro para convertirse en escudos humanos y con sus cuerpos detener los bombardeos", sentencio el profesor universitario Gazir Sued- portavoz del CRAV.

"Nuestros compañeros están actuando de acuerdo a lo que les dictan sus conciencias, que es actuar determinadamente por la paz en Vieques. Están desobedeciendo una ley injusta y, al hacerlo, obedeciendo el mas elevado principio democrático de justicia y libertad. Poniendo en juego sus propias vidas, nuestros compañeros afirman el derecho a la vida en el pueblo viequense y la mezquindad mortal de la Marina." –concluyo Sued-.

El CRAV estará apoyando todas las actividades de solidaridad con Vieques y los actos de desobediencia civil por la causa de Paz que se estarán realizando tanto en Vieques y en la Isla Grande, como en la ciudad de Nueva York.

Comunicado de Prensa

Llegan al área de tiro

28 de abril de 2001

Vieques, PR – Hoy, a las 7:00 de la mañana, los estudiantes universitarios que entraron en la madrugada a la zona restringida de la Marina llegaron al área de bombardeo. Félix Aponte, Albanaí Valentín, Ricardo Morales, Gustavo García y Llaima Sanfiorenzo, nos dejaron que saber que se encontraban muy cerca de la zona de bombardeo y que los militares sabían que estaban ahí pero que al momento no habían intervenido con ellos. "La Marina sabe que estamos aquí y no han detenido los bombardeos. Eso nos deja saber lo que podemos esperar...", denunció Félix Aponte, desde el área de bombardeo.

El CRAV seguirá informando a los medios según se desarrollen los acontecimientos.

Comunicado de Prensa

Entran más al área de tiro

28 de abril de 2001

Vieques, PR – Temprano en la madrugada un grupo de cerca de veinte personas lograron penetrar al área restringida de la Marina y se encuentran en camino hacia la zona de bombardeo –informó un vocero del CRAV. Entre las personas que entraron se encuentra el Padre Nelson de Vieques y Héctor Olivieri, director de la Defensa Civil de Vieques. Además entraron varios grupos de estudiantes universitarios, Colegiales por Vieques del área oeste de la Isla Grande y miembros de los colectivos de resistencia del Cayo la Yayí, Amigos del MAR y del CRAV.

"Estamos decididos a representar con nuestra acción los principios de Justicia y Paz para Vieques. Por eso nos hemos sumado a los actos de desobediencia civil, pues es la única alternativa que nos queda ante la intransigencia militar y su indiferencia para con la vida y el ambiente en la isla de Vieques", declaró Andre Sanfiorenzo, portavoz del grupo universitario Colegiales con Vieques.

Comunicado de Prensa
Arrestan estudiantes universitarios

28 de abril de 2001

Vieques, PR – Hoy a las 7:00 de la mañana fueron arrestados los cinco estudiantes universitarios del Colectivo de Resistencia Amig@s de Vieques (CRAV) que habían entrado y permanecido en el área de bombardeo de la Marina el pasado 27 de abril. Félix Aponte, Albanaí Valentín, Ricardo Morales, Gustavo García y Llaima Sanfiorenzo. "Estamos bien, todos juntos... me tengo que ir, llegaron los militares". Estas fue la última comunicación que tuvimos con Félix Aponte al momento de ser intervenidos por la fuerza militar.

Los miembros del CRAV lanzaron anoche luces de bengala para indicar a la Marina la presencia de vidas humanas en la zona de bombardeo.

Comunicado de Prensa
Entran en Kayak al área de tiro

28 de abril de 2001

Nairém Morales y Jesús Angleró, miembros de los colectivos de resistencia Amigos de Vieques y amigos del MAR partieron esta noche a la zona de tiro de la Marina a sumarse a los actos de desobediencia civil por detener los bombardeos de la Marina. Los compañeros llevan provisiones y luces de bengala para anunciar su presencia tan pronto se reanuden los bombardeos.

27-30 de abril
Relato de un desobediente

Por **Jesús A. Anglerό Figueroa**

3 de junio de 2001

El 27 de abril llegué a Vieques y me dijeron que Gugui, Albita, Gustavo, Llaima y Felito ya están dentro del área de tiro, pero que se les estaban agotando los alimentos. Gazir estaba buscando por todos los medios tratar de llevarles alimentos, pero los pescadores viequenses no querían salir por mar por que estaban dando $10,000 dólares de multa. Bueno, esperamos la señal de los muchachos, que era unas luces de bengala que dispararon justo al lado del punto de observación de la Marina, a las 9:30 de la noche. Celebramos la señal con euforia y luego continuamos buscando un medio para llevarle alimentos a los muchachos.

Nunca había entrado al área de tiro, pero le dije a Gazir que me ofrecía para llevar provisiones a los muchachos. Él me dijo que estaba bien, pero que era mejor entrar por mar y seguimos la búsqueda de un pescador, pero fue en vano. Alrededor de las 12:00am le dije a Gazir que iba a entrar sólo, para poder llegar más rápido caminando y llevar los víveres. Ya estaba completamente decidido. Harry me hizo un pequeño mapa, el cual no entendía porque nunca había estado dentro del área de la Marina, pero que al menos me iba a dar una idea de donde me encontraba y cuanto me faltaba para llegar. Preparamos el bulto con provisiones y, alrededor de la 1:00 de la mañana, nos encaminamos al lugar por donde entraría.

Llegamos. Harry y Gazir me explicaron un par de cosas para conseguir el camino, llegamos a la verja y me despedí corriendo hasta que llegue al trillo inicial para la travesía. Luego empecé a caminar tranquilamente, pero no por mucho. Llegaron los militares en una camioneta y corrí hacia uno de los lados del trillo y enseguida mi pierna se metió entre dos rocas sobre las que caí. Ahí perdí las gafas para proteger los ojos de la bayahonda y perdí la linterna. Las busqué desesperado hasta encontrarlas. Mientras esto sucedía se escuchaban las puertas del vehículo abriendo y cerrando. Escuché seguidamente voces y vi luces buscando entre los arbustos. Una vez con las gafas, me eché monte adentro y conseguí un sitio oculto, incómodo, en donde me quede completamente quieto alrededor de unas 3 o 4 horas.

En ese tiempo pensaba en la probabilidad de que me cogieran los militares y sentí miedo de fallar en llevarles provisiones a mis compañeros. Además no se veía casi nada ya que no había luna y estaba nublado y no sabía si continuar o quedarme en el lugar hasta que amaneciera. Al fin y al cabo, decidí encaminarme nuevamente y, sin ver casi nada, entre medio de zarza y bayahonda, caminé y corrí como unas 5:00 horas siguiendo un trillo hasta que lo perdí. Continué siguiendo la brújula hasta llegar a la playa en donde me encontré de frente con un buque de guerra y pronto apareció el Coast Guard. Agarré el celular (que por fin tenía señal), llamé a Gazir y pregunté por los muchachos. Estos ya habían sido arrestados.

Chú al momento que llegamos a buscarlo.

Extenuado por el peso del bulto, que pesaba alrededor de unas 40 libras entre alimentos y líquidos, me eché a correr de vuelta hacia el pueblo de Vieques, pero esta vez por la costa. A la vez que corría el Coast Guard me seguía al otro lado de los arrecifes. Estuve corriendo como una hora hasta llegar justo antes de un punto de observación militar situado frente a la playa. Me tomé un descanso justo antes de salir, agarré nuevamente el celular y empecé a llamar para que me fueran a buscar al lado de la planta de energía eléctrica de Vieques. Luego me metí al mar, salí fuera de terreno militar y me acosté en la arena a unos metros de la línea divisora. El Coast Guard aún me seguía de cerca. Como en unos 15 minutos llegaron a buscarme y la primera cara que veo es la de Tito Kayak y luego a Gufy, Anika, Gazir, Mila y otros. Llegaron a buscarme en dos guaguas Montero. Una era de la prensa que, minutos luego, me entrevistó. No dije mucho, por el cansancio y el dolor que tenia en la pierna. El cuerpo y la mente solo me pedían descanso. Para esto ya eran alrededor de las 11:00am del 28 de abril. Llegamos a Monte Carmelo y allí dormí hasta las 6:00 de la tarde, cuando Tito Kayak y Anika me levantaron para practicar en el kayak antes de lanzarnos una nueva travesía, que sería para el domingo 29 de abril. Esa noche, después de la extensa práctica en kayak, descansé.

El domingo me levanté preocupado por lo de la kayakeada y estuve en tensión todo el día, hasta que María, la esposa de Carmelo, me empezó a enseñar a tejer junto con Josué. Parecíamos dos sopencos, tejiendo hasta el extremo que terminamos casi una boina. Estuvimos horas tejiendo, pero de veras ayudó a liberar las tensiones. Luego de esto me puse a pintar el kayak con Gazir y Harry porque era un color amarillo chillón que se veía a una milla de distancia. Lo pintamos con aerosol color negro y luego el kayak parecía un gran plátano maduro.

Eran ya las 6:00 de la tarde. Anika y yo empezamos a prepararnos para la travesía. Todo el mundo también en lo suyo, buscando como llevar el kayak y consiguiéndonos artículos de primera necesidad. Como a las 8:00 ya estábamos en camino hacia el pueblo. Millito (no se por qué el diminutivo, pues él mide como 6'3") nos llevó a encontrarnos con la prensa y de ahí salimos al lugar de partida. Llegamos. La prensa nos entrevistó y nos filmaron para presentarlo en el noticiero del canal 11 a las 6:00am. Anika y yo navegamos rumbo a las aguas de la Marina. Parecía un sueño, pero era realidad. De camino era increíble ver como todavía queda bioluminiscencia en las aguas de Vieques. Según remábamos salpicaban muchísimas chispas de luces que capturaban mi atención y me hacían meditar sobre la causa y reforzar más aún mis ideales. Antes de cruzar frente al segundo campamento militar en la costa tuvimos que movernos a tierra, porque el tiempo se empezó a dañar cada vez más. El viento empezó a soplar más fuerte, los marullos a crecer y Anika estaba cansada. Cuando nos dirigíamos hacia tierra, faltando unos doscientos metros, nos agarró una ola, nos azoto y nos volcó. Me desesperé pensando que era hondo, pero toqué algo. Estábamos encima de un cayo sobre el que nos pudimos parar, ¡qué suerte! Nos montamos en el kayak y, cuando pasamos las olas, era otro mundo, el mar estaba súper calmado. Habíamos entrado a una de las muchas bahías que tiene Vieques. Mientras remaba me preguntaba por qué se veía el agua blanca. Metí el remo y me impresioné porque se podía ver el remo aún de noche, con solo una pizca de luna. Me impresionó lo blanca que es la arena. No hay duda: es increíble. No tenía palabras para describir la belleza de todas la playas a las que llegamos.

Nos cambiamos de ropa, escondimos el kayak en unos matorrales llenos de bayahonda y le echamos arena por encima antes de emprender la caminata. Llegamos a tierra como a media noche y caminamos como 3 horas por la costa, esquivando de vez en cuando un helicóptero que pasaba por el área. Vi las costas más preciosas que jamás haya visto en mi vida. Tras haber subido un acantilado, nos acostamos al pie de un árbol en la costa hasta justo antes de amanecer, cuando emprendimos la travesía nuevamente. Burlamos el segundo campamento militar y llegamos a las cercanías de los campamentos de desobedientes a eso de las 8:00am y establecimos un campamento temporero. Anika dormía y yo exploraba el área. Aquí la vigilancia era mayor. Helicópteros pasaban a cada rato y si uno andaba caminando tenia que lanzarse a algún arbusto cercano para que no te viesen. Al medio día del lunes 30 de abril comenzaron nuevamente los bombardeos y emprendimos la caminata. Esta vez a cumplir con la misión de detener el bombardeo. Llegamos como a las 1:00 de la tarde, pero no fue hasta las 3:30 que encontramos una posición estratégica dentro del área de tiro donde las luces de bengala pudieran verse para detener los bombardeos. Media hora más tarde me llene de coraje y valor, prepare la pistola de luces de bengala y disparé dos cartuchos al aire. Justo cuando disparé el barco militar disparó como cinco cañonazos corridos. Luego pararon y de inmediato llegaron los helicópteros a buscarnos. Nos escondíamos detrás de los árboles y una vez que el helicóptero buscaba lejos corríamos hacia el tope de la montaña adentrándonos hacia la zona de impacto. Desde el tope de la montaña se veía el buque que disparaba y donde impactaban los proyectiles dejando rastro de polvo y tierra causado por el impacto de éstos. Los militares cesaron la búsqueda y a las 5:30pm comenzó nuevamente el bombardeo. Eso me supo a mierda y decidimos tirar las otras luces de bengala por la noche, para que el pueblo de Vieques y Culebra vieran las luces a ver si así cesaban los bombardeos.

Eran las 8:15pm y todavía seguían disparando del buque. Luego de una corta siesta me levanté decidido a disparar las luces de nuevo. Desperté a Anika y disparé desde el tope de la montaña. En cuestión de minutos llegó un helicóptero con visión nocturna y estuvo tan cerca como unos 10 pies encima de los arbustos donde nos escondíamos. El viento huracanado soplaba sobre nosotros hasta que de pronto empezó a llover y se retiró. Comenzamos a bajar la montaña de vuelta a los campamentos con el fin de evadir los helicópteros y, si nos cogían, que pensaran que había mucha gente dentro de la zona de tiro y desistieran de continuar los bombardeos. Por fin conseguimos señal y llamé a Mila. Le informé que nos encontrábamos bien. Más tarde empezó a llover aún más fuerte y no pude establecer comunicación con nadie. Anika estaba exhausta y decidimos volver al otro día a buscar el kayak y regresarnos. La lluvia era tan fuerte que nos estábamos muriendo de frió y no teníamos refugio porque habían unos militares rondando las ruinas, pero un poncho y mi "sleeping bag" nos ayudó. Me quité la parte de arriba de la fatiga, nos juntamos y dormimos acurrucados como un zorrullo. De madrugada, cuando escampó, apareció de nuevo el helicóptero y esta vez nos quedamos en el mismo sitio. Nos pasaron tan cerca que creímos que nos habían visto y ni nos preocupamos porque teníamos tanto frió que nos quedamos como una hora más en el sitio. Luego nos movimos a las ruinas donde amanecimos.

No pude dormir, pero Anika durmió por mí, porque en todos lados dormía y yo no podía. ¡No había cañón que la despertase! Estábamos justo allí, en las ruinas, donde arrestaron al primer grupo. Traté de imaginar cómo los habían atrapado y trataba de reconstruir los hechos. Horas más tarde levanté a Anika para irnos de vuelta y emprendimos la caminata nuevamente. Ya saliendo del área de los campamentos de los desobedientes civiles vi unas pisadas de botas pero no hice caso y seguí hablando con Anika. Cuando salimos de la vereda nos encontramos frente a frente con dos militares. Pensé en correr pero Anika estaba agotada y de seguro la capturaban. Decidí quedarme. Los militares, asombrados y más asustados que nosotros, nos miraron detenidamente y no me quedó más remedio que echarme a reír. Mientras me reía me dijeron: "put your hands up!" No sabían que hacer con nosotros. Primero, nos mandaron a arrodillarnos, luego no tenían esposas y nos mandaron nuevamente a pararnos, y yo pensando en todas las oportunidades de escapar que tenía. Minutos después llegaron 6 militares más y nos revisaron y esposaron, nos montaron en una Bronco camuflajeada y nos llevaron al "Observation Point". Nos decían: "don't talk to anybody here, do you understand?" Anteriormente me preguntaron muchas cosas, pero Anika hablaba por mi. Yo callaba y, para los efectos, no sabía inglés.

Llegamos al Campamento García y allí fue cuando más me asusté, porque vino este tipo que media como 6'2", con guantes de "latex" y yo preguntándome para qué los guantes. Este tipo, de apellido Davidson, vino a interrogarme y yo no hablaba. Me preguntaba repetitivamente: "how many are in the field?" "Tell me or you will be going to get...". No hablé y me llevaron contra la pared dentro de unas ruinas con unas jaulas de perro y un toldo azul que le servía de techo y se le colaba el agua. Luego me dijeron: "Against the wall." Me pusieron en puntillas y me revisaron nuevamente, pero esta vez como si yo fuera un terrorista. Me dejaron descalzo, me metieron en una de las jaulas de perro y me dieron una sabana toda cochambrosa. Luego me tiraron los tenis. Anika pasó por el mismo proceso, sólo que le fue más suave que a mí porque la mujer militar que intervino con ella parecía ser un poco más humana. Al rato volvió el tal Davidson y esta vez se veía agitado. Me preguntó otra vez: "How many? Where did you come from?" Entonces salieron las primeras palabras de mi boca en ingles y le dije; "About 100 people, everywhere, in the fire zone". El militar me dejó quieto y metieron a Anika en la celda del lado y se acostó a dormir.

Hablé con un puertorro primer sargento y me cuestionaba por qué yo arriesgaba mi vida de esa manera y yo le contesté: "Tu aún no sabes el daño ecológico, el daño ambiental que ocasionan todos esos químicos que ustedes arrojan; que actualmente los Viequenses se están viendo afectado al contraer cáncer y la vida Marina esta siendo destruida y afectada al igual que la tierra, y lo peor es que es tu propia gente la que muere de cáncer. Es como un vertedero que se sigue acumulando basura y se sigue expandiendo hasta que llega a nuestros hogares y a consecuencia vienen enfermedades, plagas y brotes. Si se continúa bombardeando pronto llegaran los efectos de los tóxicos a la Isla Grande, si no es que ya llegaron a través de la red alimenticia de los animales." Por lo que le dije, supo que estaba bien claro en mi lucha y luego compartió con nosotros algunas de sus experiencias (dentro de lo que podía decirnos). Horas más tarde arrestaron a 12. Entre éstos se encontraba el Reverendo Al Sharpton, el concejal del Bronx José Rivera, el legislador estatal Adolfo Carrión y el presidente del partido demócrata Roberto Ramírez; un Fraile Capuchino, varios veteranos de guerra de Vietnam y Korea. Estos llegaron con unos ánimos por las nubes, cantando y vacilando el trato impuesto por la Marina, mientras los marinos los amenazaban con echarles "pepper spray". Pero Roberto Ramírez, conociendo sus derechos como abogado y ciudadano, le salió con la base legal y los militares, identificándolo, los dejaron en paz. Luego arrestaron a tres más, que los integraron al grupo cuando nos estaban montando en un camión para llevarnos al ferry que nos llevaría a la Isla Grande. Una vez llegamos al ferry de carga nos quitaron las esposas, nos pusieron los salvavidas y volvieron a ponernos las esposas. Nos mandaron a todos a sentarnos en un sitio donde todos nos mojábamos en un viaje de 3 horas. Estaba oscureciendo, el mar picado y nosotros dando bandazos de un lado a otro. Al principio todos hablábamos entre nosotros. Al final ya nadie hablaba, por el malestar de estómago que teníamos.

Llegamos a la base Roosevelt Roads. Fue un espectáculo. Me sentía como el más buscado. Había alrededor de 30 militares esperándonos para revisarnos, grabándonos con cámaras de video y tomando fotos de cada uno. Después de la revisión nos volvieron a esposar, pero esta vez con las manos en la espalda y nos sentaron en una guagua que nos llevó a un cuartel cuya entrada a lo largo tenía como 25 militares a cada lado. Nos paseaban por un pasillo para, otra vez, ser revisados. Luego nos llamaban uno a uno para levarnos a un cuarto donde se encontraban los marinos de alto rango junto con los militares que nos habían agarrado. Cuando preguntaron mi nombre escribí en el papel CHU. Después de haber visto este montaje, donde uno veía a estos marinos con todas sus medallas, nos sacaban fuera a un área verde donde los Marshalls nos entrevistaban. Ahí nos dieron unos sandwiches. Con estos cooperé y dije mis datos correctos para no ser un John Doe y poder terminar el semestre en la universidad. Ya eran como eso de las 11:00pm. Nos montaron en la guagua para llevarnos a la federal en Guaynabo y, tan pronto nos acomodaron, todo los arrestados empezamos a gritar ¡Vieques SI, Marina NO! Empezamos a cantar Verde Luz y otras canciones, alegres de haber salido de las manos militares.

Llegamos a la prisión federal donde nos metieron en una celda a todos juntos, menos a Anika, que se la llevaron a otro lado. Nos hicieron desvestirnos e hicieron un desagradable chequeo visual. Nos dieron una ropa crema en la que uno parece un saco de papa con unas pantuflas extrañas. Aquí la espera fue bien larga. Luego nos dieron una merienda y como a las 2:30am nos hicieron llenar un papeleo y nos hicieron un chequeo médico. Como a las 4:00am fue que nos llevaron a nuestras respectivas celdas, para levantarnos a las 6:00am, desayunar y dejarnos esperando en una celda, todos juntos hasta las 10:00am. Menos mal que nuestro grupo tenía una energía tal que era todo un vacilón, pelando a los militares, a los marshalls y hasta a nosotros mismos. Este grupo quedará en mis recuerdos para siempre, por la grata experiencia a pesar de estar en la cárcel. Al grupo lo bautizamos como los doce apóstoles, porque al final éramos doce y un cura en la celda. Luego incorporaron a los demás (los diplomáticos y a Anika), nos esposaron como a terroristas, las manos y los pies, nos montaron en dos guaguas y nos llevaron al tribunal federal, donde nos pusieron la fianza. Para los estudiantes era un 5% de $3000 y para los demás según sus ingresos. Para eso de las 4:00pm empezaron a dejarnos ir bajo fianza. ¡Que travesía! Pero por la causa vale la pena esto y mucho más. Lo volvería a hacer cuantas veces fuera necesario.

A desalambrar
(relato desde la desobediencia)[1]

Por **Gazir Sued**

25 mayo de 2001

A Alba, Gugui, Felito y Gustavo,
prisioneros políticos, compañeros, amigos:

[1]Este artículo fue publicado en el semanario *Claridad* del 8 al 14 de junio del 2001. Esa misma semana la gobernadora Sila María Calderón anunciaría una mayor movilización de policías a Vieques y daría ordenes de intervenir con quienes se cubrieran los rostros.

Mientras el sol del 27 se ponía ya todos los preparativos estaban listos. Los primeros cinco jóvenes de la resistencia, recién caída la noche, ya estaban en camino. No había luna que favoreciera la hazaña, sólo la voluntad determinada a llegar al campo de tiro y con sus cuerpos arriesgarse a detener los bombardeos. Doce horas estuvieron abriendo maleza, entre calores insoportables e inmensos espinales de bayahonda; con suficiente agua sobre sus espaldas y algo de comida para permanecer cuando menos tres días, luces de bengala para anunciar sus presencias y banderas para reafirmar que esta Vieques maltratada es también nuestra patria...

Conocían la zona a donde llegarían, aunque nunca habían caminado la ruta entera. De no lograrlo, sin duda, habrían hecho valer el intento. Así leía la comunicación enviada a todos los medios anunciando la entrada: "Las autoridades militares están enteradas y conscientes de la presencia de vidas humanas en el campo de tiro. No deben continuar con el bombardeo. Nuestro pueblo lo ha pedido mil veces y de mil maneras distintas. No podemos permitir que la Marina siga bombardeando esta Isla y matando poco a poco a su gente con los venenos tóxicos de sus bombas. Haremos todo lo que tengamos que hacer para detenerlos. Y lo haremos estando en el campo de tiro", sostuvo Albanaí Valentín, una de las portavoces del Colectivo de Resistencia Amig@s de Vieques (CRAV), momentos antes de entrar a la zona de tiro. La acompañaban otros estudiantes universitarios: Félix Aponte (Felito), Ricardo Morales (Gugui), Gustavo García y Llaima Sanfiorenzo.

Al momento, otros grupos desalambraban la verja de la Marina para distraer la atención de los militares. Fueron momentos de abierta confrontación. Los militares lanzaban gases lacrimógenos y amenazaban con soltar sus perros. Nada detuvo la resistencia. Ni las amenazas, ni la inmediata ceguera, ni el terrible ardor en todas las partes del cuerpo empapadas con sus venenos. Salía uno y entraba otro, sin mayor protección que sus ánimos. Fue la primera noche...

Doce horas después llegaron. A la noche siguiente, como habíamos previsto, en punto a las nueve lanzaron luces de bengala para confirmar su presencia en la zona de tiro. La comunicación era difícil, las señales se entrecortaban y era preciso, de todos modos y por razones obvias, mantener la señal fuera del alcance militar. Desde Monte Camelo vimos las luces de bengala y entre aplausos, risas y abrazos, celebramos brevemente la hazaña. Sabíamos ya que se podía. **Por tierra o por mar, la seguridad y vigilancia militar se puede burlar.**

Desobedientes interrumpen prácticas

Al día siguiente ya habían casi cien regados en el campo de tiro. Los bombardeos continuaban. Pero también, de vez en vez, se detenían. **Detener los bombardeos es posible**. Eso, nuestros guerreros por la paz, volvieron a demostrarlo. Temprano en la mañana siguiente los militares ya les habían cercado y, con amenazas de soltarles los perros, los arrestaron. Esa misma noche Nairem y Chú salieron en Kayak con provisiones. Dos días después también fueron arrestados...

Otros ya habían llegado días antes a la zona de bombardeo y permanecían refugiados en espera de la terrible señal. Entre ellos el heroico alcalde de ese pueblo, Dámaso. También estaban Rubén, Ismael y Norma. Durante los días venideros arrestarían a más de doscientas personas. Habrían artistas como Danny, Rosita y Draco. Habrían religiosos, como Al Sharpton y el padre Nelson. Habrían profesores y maestros, como Carlos e Ismael; habrían, sin duda estudiantes, como los muchachos de la FUPI y los nuestros, que volverían a recordarnos con sus actos que **"no hay locuras sin amantes, ni patria sin estudiantes."** Habrían, "menores de edad", como Llaima y Aura, y "muy mayores" como don Frank, el papá de Tito. Habrían, sin duda, entre todos, maltratados y agredidos, llantos y heridos, ofendidos y dolidos por la brutalidad militar. Pero sobre todo, ánimos sonrientes y decididos a continuar hasta el final...

Temprano esa madrugada más de doscientas personas llegarían de la Isla Grande y se unirían con el mismo ánimo. Decenas llegaban cada día en avión o lancha. Ni un paso atrás. La Marina sabía que estaban *dentro* y que seguían llegando; y llegando cada vez más... Aún así, sin importarles las vidas humanas, iniciaron los bombardeos. Había revuelo en el pueblo. La desobediencia se organizaba, sin distinciones de edad o sexo, ni de creencias o ideologías. Una sola voz unía, la de la conciencia. Salían enmascarados hasta de las alcantarillas, cubriendo sus rostros no por temor a ser identificados sino por dar a entender que la única identidad que importa en esta lucha es la de la voluntad de paz de nuestro pueblo; sin rostro fijo entre las personas se daría nombre propio a esta lucha: justicia. **¿Quién de entre todos nosotros se esconde tras una máscara? Nadie. ¿Quién entonces está tras las máscaras que cubren nuestros rostros? ¡Todos!**

La verja militar se tambaleaba de norte a sur. Parecía que ya se cumplía la profecía libertaria: juntos todos la podemos tumbar. Los militares trataron en incontables ocasiones de perturbar la moral en el campamento de Justicia y Paz. Lanzaron gases lacrimógenos sobre los manifestantes, incluso mientras un payaso entretenía a los niños presentes, durante rezos colectivos, sin razón justificatoria alguna...

Me pregunto, ¿es acaso violencia responder las agresiones militares a pedradas? Tal vez. Yo le llamo, en justicia, darse a respetar.

La Marina amenaza con reiniciar los bombardeos mientras los jueces federales encarcelan a nuestros luchadores y les imponen caprichosamente penas cada vez más severas. Supe que a mis amigos, a Alba y a Gugui, a Felito y a Gustavo, les impusieron las penas de cuarentaicinco días y $500 de multa, por el sólo hecho de dejarle saber al Juez que no estaban arrepentidos de sus actos, por dejarle saber al mundo que estaban dispuestos a volverlo a hacer. Así mismo a los demás, a los que estuvieron antes y, de cierto, a los que estarán. Están imponiendo penas severas con el sólo fin de intimidar a los luchadores por la causa de Vieques. Eso es una posición política a favor de la Marina de Guerra. **Su complicidad tiene un precio que tendrán que pagar.**

Nuestros compañeros fueron sentenciados y encarcelados injustamente por las autoridades federales por realizar actos de conciencia en solidaridad con la justa causa del pueblo viequense.

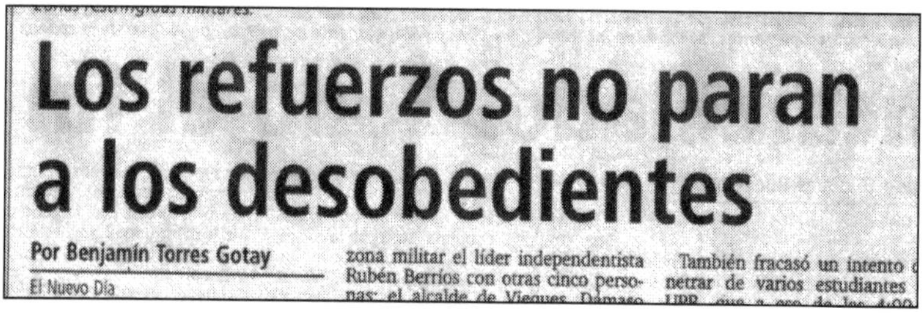

Los refuerzos no paran a los desobedientes

Por Benjamín Torres Gotay
El Nuevo Día

zona militar el líder independentista Rubén Berríos con otras cinco perso-

También fracasó un intento netrar de varios estudiantes

Nuestros compañeros son prisioneros políticos. Con ellos todo nuestro respeto y amor, admiración y solidaridad. Son ejemplo y esperanza viva de esta lucha.

Hoy sé que en cada rincón de la isla se conspira para darnos a respetar. Las resistencias están regadas, dispersas, sin un centro fijo o un cuartel general que reparta tareas y asigne responsabilidades. Esta lucha es del pueblo y el pueblo está en pie de lucha: **La verja militar no caerá sola; ¡La vamos a tumbar! La Marina no se irá por sí sola; ¡La vamos a sacar!**

Mano dura al desobediente

Oscar J. Serrano

Tras arrestarlos

MARINA MALTRATA A DESOBEDIENTES

Denuncian los metieron en 'jaulas de perros'

Tito Otero, compañero universitario, siendo sometido al maltrato y la brutalidad de la fuerza militar.

Rubén Berríos Martínez, tras una brutal intervención militar, fue sentenciado a cumplir cuatro meses en la prisión federal.

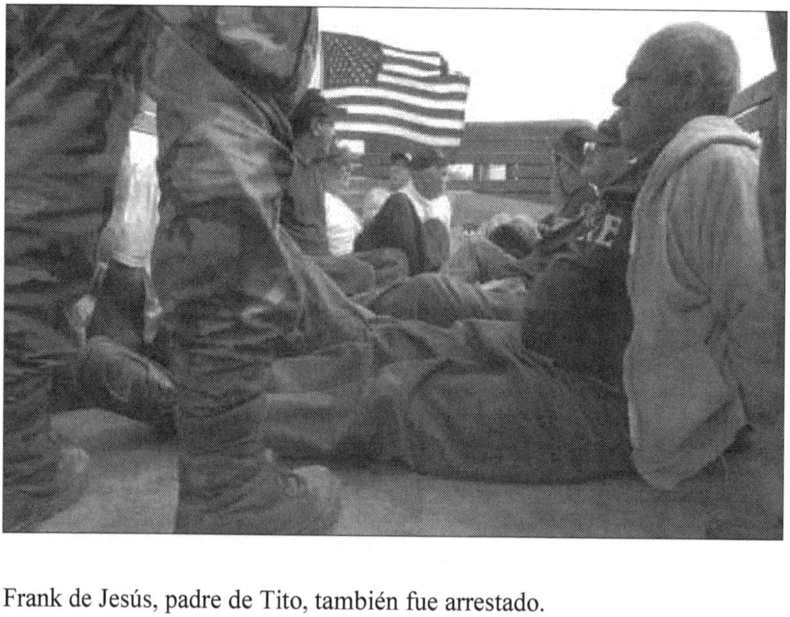

Frank de Jesús, padre de Tito, también fue arrestado.

Desafío continuo a la Armada de E.U.

Por Marielis Rivera Santos

Robi "Draco" Rosa, cantautor puertorriqueño, siendo intervenido por la fuerza militar.

Danny Rivera cantaba "Yo quiero un pueblo", mientras era arrestado. Fue sentenciado a 30 días en prisión.

LOCALES

Confirman violación derechos a desobedientes

***

...casi doscientas personas fueron arrestadas durante esta ronda de bombardeos. Las intervenciones militares fueron más agresivas y violentas, mas no por ello se amedrentó la resistencia. Así mismo, los jueces y magistrados se acomodarían abiertamente en complicidad con la Marina de guerra, imponiendo penas más severas, altas multas, negando el derecho a fianzas y encerrando en prisión hasta cuatro meses; mas no por ello nuestros luchadores han doblegado sus voluntades y sus conciencias. Entre los nuevos prisioneros políticos se encontraban varios amigos nuestros...

Carta a Sila María Calderón
Gobernadora de Puerto Rico[1]

23 de abril de 2001

Honorable Sila María Calderón,
Gobernadora de Puerto Rico:

Como recordará, el pasado lunes 9 de abril, durante su visita a Vieques, varios líderes y representantes de esta Isla, destacados en la lucha por la desmilitarización y la paz de la Isla Nena, le solicitaron al gobernador de la ciudad de Nueva York que intercediera ante el tribunal federal de su ciudad con relación a los cargos que enfrentamos Alberto de Jesús (Tito Kayak) y este servidor, por la manifestación de solidaridad con Vieques en la Estatua de la Libertad. El mayor riesgo que enfrentamos, si acaso el Juez dictara sentencia de "culpabilidad", es que las autoridades federales pudieran decidir revocarnos la probatoria y encerrarnos en prisión por un término que puede exceder el año.

Mi amigo y yo, como los integrantes de los colectivos de *Resistencia Amig@s de Vieques*, *Jinetes por la Paz* y *Amigos del MAR*, no guardamos ningún reparo en enfrentar cualquier precio por la causa de Vieques, como hemos demostrado desinteresada y consecuentemente durante estos dos últimos años. Creemos firmemente y sabemos que cualquier pena que nos imponga el gobierno federal será poca cosa si con ella aportamos a adelantar la justa causa de este pueblo.

Sin embargo, por razones obvias, quiero pedirle que considere lo siguiente: que redacte una carta para darle seguimiento a la petición que hicieran los viequenses al gobernador de Nueva York, con el fin de que interceda en nuestro favor, que es en favor de la causa por la Paz en Vieques. Pienso que esta carta estará, indudablemente, endosada por todo el liderato civil, político y religioso tanto en Puerto Rico como en la misma ciudad de Nueva York.

Le agradeceré encarecidamente que considere acoger como propia esta petición y dé, con carácter de urgencia, el seguimiento que requiere. Tito parte a Nueva York este próximo viernes 27, día en que la Marina reiniciaría los bombardeos. La lectura de sentencia está

---

[1]Esta carta fue llevada directamente a Fortaleza y enviada por otros medios que se comprometieron a hacerla llegar a la gobernadora. Hasta donde sabemos, nunca recibimos respuesta al respecto.

pautada para el lunes siguiente, el día 30 de abril. Sabemos que el Juez está presto a dictar sentencia de culpabilidad...

30 de abril de 2001
Entrevista a Tito Kayak

Por Freddie Marrero

Esta entrevista fue realizada en la noche del 30 de abril de 2001 en la ciudad de New York. Ese mismo día Tito había sido encontrado culpable por el acto en la Estatua de la Libertad. Su padre, Don Frank de Jesús, se encontraba bajo arresto, junto a decenas de desobedientes civiles, por participar en la intensa jornada de desobediencia civil que se esenificaba en Vieques durante esos días. El veredicto del juez Dollinger, en Nueva York, dio pie a que la corte federal en Puerto Rico revocara su probatoria y ordenara su arresto. Varios dias después, en la madrugada del 5 de mayo, Tito sería arrestado por alguaciles federales en la Capilla Ecuménica en la lomita de los vientos. Esta fue la última entrevista a Tito antes de su prolongado encierro.

***

►Hoy arrestaron a Rubén Berríos y a Dámaso Serrano luego de haber estado varios días en el área de tiro mientras la Marina bombardeo sabiéndolo. Hoy también Tito Kayak, el mismo día que llevan a 150 desobedientes a la cárcel federal, es encontrado culpable por la protesta del 5 de noviembre de 2000: ¿Qué pasa por tu mente mientras están pasando estas cosas tan rápido tanto en Vieques, cómo en Nueva York?

Son sentimientos encontrados... Por una parte me siento muy orgulloso de todos los puertorriqueños que han entendido esta lucha de corazón y se han entregado. Como por ejemplo el caso del compañero Rubén Berríos, de Dámaso, de Norma Burgos... Fíjate que son ideologías completamente contrarias, sin embargo se unieron, entraron y se entregaron a esto. Yo creo que es un ejemplo que se debe emular. Yo creo que cada puertorriqueño debe entrar, si le es posible, y poner su vida como escudo.

Por otro lado, siento una gran desilusión con nuestra primera mandataria, pues entiendo que ella debió tomar una postura aún más firme. Como que falló por ese lado. Demostró flaqueza.

Siento un orgullo extraordinario por muchas personas que conocí. Orgullo de verlos por primera vez entrar a Monte Carmelo y decir: "Sí, yo voy a entrar y voy a hacer el sacrificio de entrar al área y de tratar de detener los bombardeos."

Me duele la actitud arrogante de la Marina que tiraba, y continúo con las prácticas, a sabiendas que en área de tiro había personas.

Tito, acompañado por Pablo Connely y su padre, Frank de Jesús, al salir del tribunal federal.

Me siento bien orgulloso de mi papá. Mi papá, que tiene 81 años y fue con la determinación de entrar y ser un desobediente. Creo que mi papá ha recibido la semilla, ha entendido la lucha y cree en ella verdaderamente. Como muchos puertorriqueños que antes de la muerte de David Sanes tenían un desconocimiento de lo que realmente estaba pasando en Vieques. Y ahora saben que no se trata de un capricho. No; lo que pasa en Vieques es un abuso en todo el sentido de la palabra. Es un abuso y, pues, ya lo hemos visto en Norma Burgos y en muchas personas que se han entregado a esta lucha de diferentes ideologías.

▶ Sobre Norma Burgos, tu que la conociste personalmente debido a que ella te fue a llevar comida durante una de tus acciones; ¿Tu vislumbrabas que ella también iba a unirse a los reclamos de la desobediencia que tu comenzaste un día en Vieques?

Yo recuerdo que la primera vez que se me acercó, no le quise aceptar nada. Estaba prejuiciado y no le quise aceptar nada. Luego, le acepté lo que me dio, porque medité: "caramba, si ella vino y entiende lo que yo estoy haciendo, pues, ¿por qué la he de rechazar?

No sabía que ella se iba a involucrar así, en esa forma con lo de Vieques. Sí te puedo decir que aquella reflexión que tuve en aquel momento es la aportación que yo pude llevar a la lucha de Vieques: acepto a cualquier persona, no importa la ideología, que entienda que quiera sacar a la Marina de Vieques. Y le tengo una gran admiración, lo tengo que decir honestamente.

Te debo decir lo siguiente, --con respecto a esto del barco de plutonio-- nosotros luchamos en el este de Puerto Rico con la Marina; luchamos en el oeste con los barcos de plutonio. Hay más cosas que afectan a Puerto Rico en ambos extremos de la Isla. Y esto mismo tiene un significado bien grande para el mundo entero, porque ambas cosas que han pasado en Puerto Rico afectan al mundo entero. Yendo más por la línea ambiental, es curioso que estas cosas (las prácticas y los barcos de plutonio, que también pasó uno en estos días por Puerto Rico) estén pasando ahora, en un mes como el mes de abril, que es el mes del planeta Tierra, cuando se debe tomar más en consideración la protección de este planeta. Mira lo que pasa... no se respeta, como si todo eso del mes del planeta, de que hay que conservarlo, fuese una hipocresía.

▶ Tú, que has participado en la desobediencia civil entrando a los terrenos, ¿es fuerte? ¿Hace falta entrenamiento, condición física? ¿O cualquier persona puede hacerlo?

Claro, digamos que hay una forma de hacer desobediencia civil que es un poquito más fuerte que otra. Pero yo creo que todos la podemos hacer. Así lo demostró, Norma Burgos; así lo demostró un grupo de Amigos del Mar, de Amig@s de Vieques, así lo demostró mi papá, que es una persona de 81 años, que puede hacer desobediencia. Cualquier persona que crea en esta lucha lo puede llevar a cabo. Lo que debe es tratar de contactar a diferentes grupos, ya sea Amigos del Mar, Amig@s de Vieques, Justicia y Paz, a la familia Zenón, que tan buen trabajo están haciendo, los Ventura... Cualquier persona que tenga el deseo de hacerlo, puede llevarlo a cabo. No importa la edad que tenga. Honestamente, aunque suene un poquito fuerte, hasta menores de edad han hecho desobediencia, y son aceptados, porque esto es un problema que nos afecta a todos y cualquier persona puede dar la mano.

Tito, junto a otros compañeros, resistiendo pacíficamente la intervención militar.

► *Veo, mientras hablamos, que tienes la camiseta precisamente de la foto de la Estatua de la Libertad, y hoy fuiste encontrado culpable por el cargo de traspaso, en un proceso que duró creo que tres vistas. ¿Cómo recuerdas ese momento, ese día, y lo miras desde hoy, que fuiste encontrado culpable?*

Para empezar, te voy a decir una cosa, que a mí no me gusta usar la camisa. Me la puse de casualidad; no me gusta ponérmela porque no me gusta señalarme dentro de la camisa. Ahora, a mí me parece que este acto en particular, no fue un acto de una sola persona, sino que fue el acto del espíritu de un pueblo. Ahí se subió un pueblo entero en reclamo de justicia. Fue un momento bien importante, porque había que llevar un mensaje al mundo de que la lucha no es solamente de los viequenses; o sea, había que llevarla al nivel que le correspondía.

Hoy, tuve mi día en Corte, fui declarado culpable. Eso no amaina mi lucha. Ya regreso a Puerto Rico mañana y vamos a seguir luchando. Tenemos que comparecer nuevamente para la lectura de sentencia y estoy sin ningún tipo de temor. Yo sé que esta acción era importante hacerla y, si es necesario, repetirla; en otro lugar del mundo la vamos a repetir, porque hay que hacer entender que esta lucha tiene que estar en la mente del mundo entero.

► ¿Qué fue lo primero que hiciste cuando subiste ahí, que te trepaste a la corona de la Estatua de la Libertad?

¿Sabes qué? Yo te iba a enseñar este término que utilizan los musulmanes, que es *Katar*. "Katar" es lo que ya está predestinado. Esta actividad había que hacerla. En esta actividad Papá Dios estuvo con nosotros, y se logró porque era la voluntad de Dios. Más o menos eso es lo que debe entenderse como el significado de "katar". Cuando yo logré acceso a la Estatua, lo logré porque era voluntad de Dios. Era "katar." Cuando se logró, lo primero que hice fue postrarme de rodillas y le di gracias a Dios, porque era la voluntad de Él.

► Aquí tengo una carta que recibí hoy de Vieques y menciona que el viernes no hubo clases en las escuelas de Vieques porque los niños y maestras salieron a protestar en contra de la Marina. Tú, como una persona que ha sido ya una figura pública, y que conocemos que muchos niños te admiran, ¿qué le puedes decir tú a los jóvenes y a los niños?

Yo no sé… Yo no me veo como un ser a admirar. Yo creo que yo soy un soldado de fila, que estoy trabajando de la forma que yo lo sé hacer. Hay compañeros que trabajan, como es tu caso particular y el de Juan Antonio, el otro compañero, que lo saben hacer en computadora y hacen un trabajo idénticamente valioso, ¿no?. Como el que toca guitarra, como el que hizo Danny Rivera, como el que hizo Rubén Berríos, todos los compañeros que han hecho su aportación… La mía no es más importante que ninguna; solamente es que ésta es la parte que yo sé hacer.

Yo creo que estos niños que salieron afuera, salieron porque es el eco, el eco de ese llamado de "por favor, cesen los bombardeos." Es un eco que va a seguir resonando hasta llegar al Presidente. La gente tiene que entender que, puede ser, que un pequeño sector insignificante esté a favor de la Marina, pero ese pequeño sector es un sector comprado, que le han comprado la conciencia porque tienen esa conciencia cauterizada. Quizás han tenido un poquito de exposición pública, porque hay medios que son comprados y tratan de resaltar a estas personas. Pero la voluntad mayoritaria del pueblo, y las voces de los niños, no se venden. Eso es bien significativo porque, en la lucha, lo más importante es la voz de los niños, y si ellos no entraron a la escuela es porque sentían esa inquietud y sabían que había un grupo de personas que estaba trabajando por ellos. La semilla está sembrada. Ellos van a crecer y van a entender que en la vida lo más importante no es el dinero. Van a querer comprarles la conciencia, pero no van a poder, porque es seguro que les llegará el mensaje de que una tierra libre para ellos es más importante que el dinero que les puedan poner en la mano.

▶ ¿Puedes hablar un poco sobre las cosas que hace Amigos del MAR y explicar qué significa el nombre? Porque mucha gente se equivoca y piensa que solamente lo que hace Amigos del MAR es treparse, y eso es valioso, porque lo admiramos, pero yo te he oído hablar en otras ocasiones de que tienen charlas y tienen otros programas…

Te voy a decir primero quiénes son Amigos del MAR, porque Amigos del MAR no es solamente Tito Kayak. Amigos del

MAR es una organización ambiental que desarrollamos un concepto que se llama el *"manatiburón"*. "Manatiburón" es la unión de "manatí" y "tiburón." En la parte de "manatí" trabajamos con lo que nos concierne a nosotros los ciudadanos. Es la parte en la que llevamos a cabo actividades, como por ejemplo, charlas ambientales, para crear conciencia de que todos tenemos la responsabilidad, actividades de reforestación, de reciclaje (como trabajamos en Vieques junto a Amig@s de Vieques), y de limpieza de playas (como hemos trabajado en Culebra). Pero, por otro lado, somos "tiburón," es la otra parte de "manatiburón", la parte que le concierne al gobierno. Es la parte que le corresponde a agencias como la Marina, la NASA, con quienes hemos luchado fuertemente para hacerles ver que también tienen una responsabilidad que cumplir. Porque tiene que haber un balance: una parte nos corresponde a nosotros y otra parte le corresponde al gobierno.

En el caso de Vieques, por ejemplo, se trata de llevar un mensaje de que, mira, hay una parte que le corresponde a la Marina, y una parte que nos corresponde a nosotros. Por lo tanto, vamos a reclamarles que se vayan, y antes que se vayan, que limpien, porque irse sería lo más fácil. Pero también hay una parte que también nos corresponde a nosotros, y esa parte debemos reclamarla...

Cabe señalar lo siguiente: en Amigos del MAR, "M.A.R." son unas siglas que significan "Movimiento Ambiental Revolucionario." "Revolucionario", porque eso somos: revolucionarios pacifistas, en la línea de Jesucristo, en la línea de Martin Luther King, en la línea de Ghandi. Queremos presentar la problemática ambiental desde otro punto de vista, y buscar diferentes formas de trabajar el problema. Muchas veces, gracias a Papá Dios, nuestro ser supremo, hemos podido trabajar la problemática de forma diferente, y ha dado resultado.

►¿Y de ahí surge el nombre "Tito Kayak"?

Tito "Kayak": es que también usamos el kayak, como nuestros ancestros los taínos. Ellos se movían en piraguas, ahora, eso ha evolucionado, pero sin embargo, sigue siendo un kayak, que se mueve con remos y mantiene la armonía con la naturaleza. Nosotros hemos sabido usar el kayak para llevar un mensaje de conciencia a la ciudadanía acerca del reciclaje; lo hemos utilizado para detener los cohetes que tiraron los de la NASA en Tortuguero; para incursionar en Vieques; y lo hemos utilizado para ir (en dos ocasiones) a enfrentarnos a barcos de la Marina, como por ejemplo, la vez en San Juan. Fuimos y le dañamos la fiesta a un barco que se asomó en San Juan. Fuimos en kayak, y se lo pintamos. Lo pintamos en una actividad "tiburón"... y usamos el kayak.

Tito, solitariamente solidario, salió en su Kayak a demostrar su (nuestra) determinación de lucha y compromiso con la causa viequense.

Y hace poco, tan reciente como mes y medio, fuimos a Culebra, se metió un barco de matrícula europea, e hicimos lo mismo de la otra vez. Lo pintamos, hicimos como una mosca encima de una persona; lo molestamos, hasta que la persona se tuvo que ir, y el barco se tuvo que ir de Culebra. Así, usamos el kayak en nuestras actividades ambientales.

► ¿Y cómo Alberto De Jesús, que trabajaba en la Guardia Costanera y que también fue parte de la Guardia Nacional de Puerto Rico, comienza sus actos en pro del ambiente?

Esto no nació en la Guardia Costanera, ni en la Guardia Nacional: nació mucho antes. Tenía inquietudes que germinaron en una charla que recibí cuando era pequeño en los Niños Escuchas. Tenía mucha preocupación con esto de la tumba de árboles. Recuerdo que cuando era adolescente (en los 70's) un anuncio decía: "el agua: tómatela limpia ahora, que mañana te la tomarás contaminada." No me podía sacar eso del pensamiento. Y era un interés personal: era un ambientalista. Pero, con la mente dañada con lo material, porque siempre, en aquel momento, cuando chamaquito... No tengo ninguna preparación universitaria como tal, tengo un [grado] asociado en Carreras Técnicas, y lo tengo porque aquella mentalidad busca algo que nos deje dinero. Yo en ningún momento había considerado estudiar algo ambiental por esa mentalidad de trabajar para hacer dinero. Y esto muchas veces es una confusión que nos daña la vida. Entré a la Guardia Nacional porque ahí, caramba, tú sabes, la parte económica, te dan unas becas, te dan unos bonos por ser un tanquero, por ciertas divisiones... Pertenecí a la Guardia Nacional por la parte económica. Pero, me convertí en un objetor por conciencia. Sin embargo, salgo de la Guardia Nacional, terminé como enfermero, y paso entonces a la Guardia Costanera.

Paso a la Guardia Costanera porque era más tranquila y yo no quería estar bregando con la milicia, pero siempre trataba de tener a un beneficio económico. Ellos se dan cuenta de mi afición por el ambiente y me pasan a un programa ambiental. Soy la primera persona a la que le dan una oportunidad ambiental: los 'SeaKeapers' de la Guardia Costanera. Antes de eso yo solamente era reservista en la Guardia Costanera, en mi trabajo civil tenía una compañía y procuraba, con mis empleados, llevar a cabo actividades de limpieza de playas. Entonces, en la Guardia Costanera dijeron: "oye, Tito es bien entregado con el ambiente," y me pasan al trabajo ambiental. Pero me di cuenta que, caramba, está la parte que nos corresponde a nosotros, está perfecto, pero ¿y la parte que le corresponde al Gobierno, y la parte que le corresponde a la Guardia Costanera? "Esto es fantástico, llevar un mensaje a la ciudadanía". Y me pregunto: ¿de qué me sirve ir a Vieques y llevar charlas ambientales para que los niños no tiren basura, pero la Marina tira bombas y químicos? ¿No es un mensaje cojo que estoy llevando? Por lo tanto, es la parte que trabajo con la ciudadanía, y la parte que trabajo como tiburón frente a la Marina. Me costó mi empleo en la Guardia Costanera.

He sufrido mucho en la parte económica. Ha sido muy sacrificado. Para mi familia es muy doloroso. Yo te puedo decir lo siguiente, he sacrificado a mi familia por la lucha que estoy llevando, pero por alguna razón sé que ese poco tiempo que yo le doy a mis nenes es un tiempo que es oro. Le doy gracias a Dios porque estoy seguro que ellos van a entender la lucha que estoy llevando. No soy un padre común y corriente que está en su casa todos los días con sus hijos. Pero sé que si me dieran a comparar ser un padre que estuviese en la casa con el hijo todo el tiempo, pero que ignora la causa de Vieques y no le importa que se destruya el mundo, pues yo prefiero ser el padre que soy. Yo sé que a la postre ese Dios que está en el cielo va a ayudar que mis hijos entiendan el mensaje.

Tu sabes que se ha cuestionado muchas veces mi salud mental. Sabes que el Juez Laffite también lo cuestionó. A principios de la lucha, este no era el tipo característico de lucha que la gente tenía. La gente solía hacer una manifestación con banderitas o cartelones. Pero llevar a cabo un tipo de actividad de escalar un edificio, pues eso rompió aquí en Puerto Rico con el patrón de llevar a cabo las manifestaciones.

A mí me gusta esta comparación: si estar loco es proteger al mundo, pues yo no sé si estoy loco de verdad, porque yo creo que si bueno y sano es dejarlo que se destruya, pues no puedo estar con mi mente buena y sana. Tienes que protegerlo...

► ¿Cómo miras tú los problemas del Puerto Rico urbano de hoy, tan centrado en el automóvil, desde tu perspectiva de un revolucionario ambientalista?

Yo tengo fe en el Tren Urbano como sistema masivo de transportación. Creo que la carretera 66 --que le debieron haber puesto otro 6 más, porque es la carretera del diablo-- es un proyecto nefasto que atenta contra los pocos recursos que nos quedan. Ya debemos de pensar en tratar de conservar lo que nos queda. Pienso: ¿qué le vamos a dar a dar a las futuras generaciones? No solamente carreteras…

Es curioso que en estos días tenemos una amenaza en el este y otra amenaza en el oeste de Puerto Rico y algunos grupos se quieren aprovechar de que en estos días se estaba llevando a cabo lo de Vieques para deforestar un área de Capuchino. Eso es un trabajo que Amigos del M.A.R. y Amig@s de Vieques quería entrar de lleno para evitar que deforestara esa área. Pero es muy difícil...

Va a pasar como decía Seattle. Llegará un momento que nos daremos cuenta que el dinero no se puede comer. Cuando llegue ese momento será muy tarde entonces...

▶ ¿Qué consejo le darías a una persona que quiera poner su granito de arena a favor de Vieques?

Yo creo que todos tenemos una responsabilidad. Somos solamente una de dos: o somos parte del problema, o somos parte de la solución. No se tiene que ser una persona extremista, cómo algunos de nosotros, para poder ayudar. Cada cual tiene una responsabilidad que puede llevar a cabo sin sacrificar muchos de los compromisos que ya se tienen. Debemos entender que hay unas cosas que nos conciernen y que tenemos que en un momento dado llevar a cabo. Lo de Vieques es una cosa que todo el mundo debe bregar, yo entiendo que es así, pero no todos pueden ser desobedientes, ojalá todos pudieran entrar... pues hay espacio para todos, pero, como mencioné hace un rato, el que no pueda ir puede llevar a cabo la lucha por Internet, quizás tiene algún tipo de talento, ya sea música, que la pueda poner a disposición... hay muchas formas de llevar a cabo.

No se le puede dar la espalda al problema, tenemos que dejar la mente abierta y no permitir que nos engañen. Yo siempre utilizo un denominador común: el Humano-Ambiental. Yo trato de delegar lo político a un tercer plano. **Vamos a bregar a lo que nos mantiene a todos unidos y tenemos que entender que aquí hay una amenaza para todos. No es una amenaza solamente para Vieques, es una amenaza para todos que corresponde al ambiente global, tenemos que entender que este planeta no nos corresponde a nosotros, que le corresponde a nuestros hijos.** Yo tengo cuarentaipico de años ya. Yo trato de conservar un mundo limpio para mi hijo que está creciendo ahora y para los hijos de mi niño. En la medida en que podamos hacer algo, nos corresponde a todos proteger a las futuras generaciones.

▶ ¿Me puedes hablar un poco de la experiencia de la cárcel, especialmente sobre la relación con los otros presos?

Te voy a hablar primeramente de Johnny. Él es un ser muy especial, como hay muchos puertorriqueños que son personas que no buscan ninguna publicidad. El tipo de héroe anónimo que se entrega a la lucha bien desinteresadamente. La gente menciona mucho a Gazir Sued, a Tito Kayak, a Rubén Berríos; pero hay muchos Johnny que cayeron en la cárcel y estuvieron hasta en solitaria en la cárcel haciendo un sacrificio tremendo por Puerto Rico. La experiencia de la cárcel fue bien curiosa; los federales quisieron crear confrontación entre el preso común y corriente y él de Vieques. Ellos buscaron la forma de echarnos a pelear. Fácil, fácil, ellos cortaron las visitas para que el preso viera al que llegaba de Vieques como la amenaza: "ah, por culpa de este nos cortaron las visitas". Pero el preso se identificó muy bien con nosotros.

A juicio Tito Kayak
Comunicado de Prensa

Lunes, 30 de abril de 2001

Manhattan, NY--- El líder ambientalista Alberto (Tito Kayak) De Jesús Mercado compareció esta tarde al Tribunal Federal de Manhattan para escuchar el veredicto por realizar una manifestación pacífica en la Estatua de la Libertad a favor de la salida inmediata de la Marina de guerra de los Estados Unidos del suelo viequense el pasado 5 de noviembre. El magistrado Michael H. Dollinger encontró a De Jesús culpable de este cargo de trespassing y señaló el próximo 30 de julio para la lectura de sentencia.

"Deseamos aclarar que Tito está aún pendiente de ser sentenciado por este caso. En la tarde de hoy solo el magistrado Dollinger tomó la determinación en este caso. Tito no está encarcelado. No ha sido sentenciado a tres meses de cárcel como se ha rumorado en los medios. No será hasta finales del verano que se conozca cual será la sentencia" informó Carmen Chazulle Rivera, portavoz de Amig@s de Vieques y Amigos del Mar.

En la noche de hoy, en la cárcel federal de Guaynabo en Puerto Rico se llevaron a cabo los procedimientos judiciales para acusar a los desobedientes civiles encarcelados por traspasar el suelo viequense. El Sr. Frank De Jesús, padre del líder ambientalista fue una de las personas arrestadas al penetrar las "zonas restringidas" en Vieques el pasado sábado. Al Sr. De Jesús se le encontró causa y se le asignó una fianza de 3,000 con el 10 porciento.

"Agradezco a todas las personas que se han solidarizado con la causa de Vieques y recolectaron la cantidad impuesta para pagar la fianza de los compañeros de lucha y de mi padre, que es una persona que está delicada de salud.", expresó Tito Kayak.

Los jóvenes universitarios Félix Aponte, Albanaí Valentín, Ricardo (Gugi) Morales, miembros del Colectivo de Resistencia Amig@s de Vieques fueron acusados por este cargo. A estos le fijaron una fianza de 1,000 con el 20 por ciento.

Convocatoria a la Prensa
Ordenan arresto de Tito Kayak

4 de Mayo del 2001

San Juan, PR - Los colectivos de resistencia Amig@s de Vieques y Amigos del MAR convocan a todos los medios de comunicación a la conferencia de prensa con Alberto de Jesús en la capilla ecuménica frente al Capitolio a las 3:00 de la tarde.

A raíz de la revocación de la probatoria federal y la consecuente orden de arresto de Alberto de Jesús (Tito Kayak), los colectivos de Resistencia Amig@s de Vieques y Amigos del MAR convocan a un acto urgente de solidaridad a realizarse hoy, 4 de mayo, en la capilla ecuménica frente al Capitolio en San Juan a partir de las 3:00 de la tarde.

A las 3:00 PM se llevará a cabo una conferencia de prensa con Alberto de Jesús con relación a su posición sobre la orden de arresto y el curso de acción a seguir. Existe una gran posibilidad de que las autoridades federales decidan efectuar el arresto este mismo día durante esta actividad. Este día 4 de mayo, después de la conferencia de prensa, mientras conmemoramos el primer aniversario de los desalojos de la zona restringida por la Marina de guerra norteamericana en la isla de Vieques, permaneceremos en vigilia y ayuno en solidaridad con el compañero Alberto de Jesús.

...esa madrugada los marshals federales, alcahuetes de la Marina, irrumpieron en la capilla y aprisionaron a Tito.

Tito Kayak: Guerrero del MAR[2]

Por **Gazir Sued**

5 de mayo del 2001

"Mírame, madre
y por tu amor no llores.
Si esclavo de mi edad y mis doctrinas,
tu mártir corazón llené de espinas,
piensa que nacen
entre espinas flores..."
J Martí

Qué difícil encontrar tiempo para escribir, cuando tanto en estos días me ha urgido darme todo por entero a todo lo que ya ha sido tantas veces escrito y dicho. Pero estas letras son urgentes también, para que no quede constancia sólo en los registros del pronto olvido, de su irreverente memoria, sin historia y sin sentido. Ayer en la madrugada raptaron a un amigo mío, se lo llevaron los federales y en verdad no sé cuan temprano o tarde volveré a verlo otra vez. Tampoco sus padres; tampoco sus hijos y demás amigos. Los federales se llevaron a mi amigo Tito, como poco antes lo hicieron con mis amigo Carlos, con Ismael, con Pablo y con Rubén. Tampoco nadie sabe cuando los volverán a ver. Los hicieron prisioneros, injusta e insensiblemente, por el sólo hecho de actuar sus ideales de solidaridad con incondicional amor y entero desprendimiento de otros intereses ajenos a la justicia y la paz en Vieques; los encarcelaron por entregarse con integridad y determinación a las justas causas que se libran en la Isla Nena; los encerraron por darse a la lucha de este pueblo contra la voluntad militar de muerte y reivindicar así el Sagrado Derecho de todo ser humano a vivir dignamente y en libertad. Eso es, sin duda, motivo de angustia, de pensamientos amargos, de mucha tristeza, de indignación, de rabia y de ira. Pero sobre todo, razón de más para seguir en pie de lucha...

Hay demasiadas ocasiones en que los combatientes solitarios contra las injusticias que día a día se cometen contra nuestro medio ambiente, contra nuestros recursos naturales, contra nuestra madre tierra, pasan por desapercibidos ante los ojos del mundo. De nuestra suerte está que el caso de Tito, Guerrero del

[2]Este escrito fue publicado en el semanario *Claridad* la semana del 11 al 17 de mayo del 2001.

MAR, no es uno de estos. Sus luchas han sido frontales, transparentes y sin reserva alguna por los riesgos que siempre rondan inciertamente al lado de nuestros luchadores. Eso, al parecer, lo ha convertido en una amenaza mayor para quienes se oponen a sus ideales, que son los de un mundo sensible ante las mezquindades que amenazan, maltratan y destruyen nuestro ambiente y, en consecuencia, nuestras vidas. Tito es un hombre de palabra, y su palabra más honesta es su acción. Por tal razón hoy, nuevamente, ha sido aprisionado por las autoridades federales, que no son otra cosa que las fuerzas represivas legales del poderío imperial norteamericano y su Marina de guerra. Pero sabemos que al violar sus injustas leyes han honrado lo más hermoso de nuestra maltratada patria, que es la vida de su gente. Enfrentando riesgos y con grandes sacrificios, pero siempre animado y sonriente, Tito ha honrado con sus actos a nuestra patria; su devoción ha sido consuelo para nuestra dolida Vieques y su terquedad libertaria reserva del ánimo combativo de mucha gente, sobre todo de nuestra gente más joven...

Tito, durante los primeros días en Monte David.

Desafiando a los militares en terreno prohibido poco antes del primer arresto.

Hace más de dos años Tito consagró su vida a la causa viequense en el mismo instante en que, tras la muerte de David Sanes, subió solo, descalzo y sin provisiones a lo que seguidamente se convertiría en Monte David, símbolo de la resistencia viva contra la Marina de guerra norteamericana en Vieques. La firma de sus palabras fueron ¡Bieké o Muerte! Palabras fuertes que significan a Vieques como voluntad de Vida en contraste con la Marina que representa intenciones de Muerte. Y así ha mantenido su palabra y su acción hasta el día de hoy. El año pasado, como bien recordamos, fue aprisionado por los militares cuando intentaba llegar al área de tiro y detener con cuerpo propio los bombardeos. Los federales lo encerraron y lo mantuvieron incomunicado y en un calabozo en solitaria. Cincuenta días estuvo prisionero injustamente en la cárcel federal, pero siempre manteniendo firme su incondicional apoyo a la causa por la paz en la Isla de Vieques. La mayor parte del tiempo se mantuvo en ayuno para, mediante este sacrificio personal, convertirse en denuncia viva por el maltrato militar a la Isla Nena.

Tito fue un prisionero de conciencia, junto a los compañeros independentistas y a los Jinetes por la Paz. Tito, como cientos de puertorriqueños, es ejemplo vivo de que -como decía don Gilberto- no hay imperio que pueda ahogar el anhelo de libertad. Tito, como los demás compañeros y compañeras encarcelados, ha sido víctima de un proceso judicial prejuiciado e insensible ante los más legítimos reclamos de justicia y paz. Hoy las autoridades federales, justamente cuando se recuerda el primer aniversario de los desalojos de la zona restringida por la Marina de guerra, cumplieron su amenaza de quitarle la libertad nuevamente. Sólo porque él, como tantos otros, arriesgó su vida y su libertad como acto de afirmación de la vida misma y de la libertad. Por ello quieren castigarlo. Su delito, como el de los demás: la solidaridad incondicional y la defensa al derecho a la vida, la justicia y la paz en el pueblo de Vieques...

Esta madrugada del 5 de mayo nos encontrábamos reunidos en la capilla ecuménica en la loma de los vientos en San Juan, réplica exacta de la capilla que construimos en la zona de tiro en Vieques; símbolo de la voluntad de paz y del espíritu de resistencia y lucha en esta Isla. Allí estuvimos familiares, amigos y compañeros de lucha en apoyo y solidaridad con Tito. Allí nos mantuvimos en vigilia y ayuno, en espera a que los federales decidiesen arrestarlo en nuestra presencia y ante la mirada de todo el mundo. Caída la noche la prensa ya no estaba. Sabíamos que era sólo eso lo que faltaba para que en cualquier momento se lo llevaran. Y así lo hicieron. Poco antes que saliera el sol irrumpieron hostilmente en la capilla. Cercamos a Tito inmediatamente mientras muchos rezaban el Padre Nuestro y otros forcejeaban para protegerlo, abrazarlo y despedirlo... hasta luego, querido amigo. A empujones lograron separarnos y, sin más, llevárselo prisionero.

El día antes coincidía con el primer aniversario de los desalojos. Se cumplía a la vez el segundo año de una lucha que entre angustias, tropiezos y pesares promete certeramente la alegría de la victoria final de Vieques sobre la Marina. El arresto de Tito es un ejemplo más de la mala voluntad del gobierno federal en nuestra Isla, de su corrupto sistema judicial y de la insensibilidad de su fuerza carcelaria y militar. Nuestros actos de solidaridad son sólo continuidad de la misma exigencia que se ha mantenido por más de sesenta años en Vieques: el cese incondicional de los bombardeos y la salida definitiva de la Marina. Lo que quede ahora por decir y hacer seguirá siendo reafirmación de la misma voluntad y determinación de continuar luchando hasta lograr que la Marina de guerra por fin se vaya de la isla de Vieques. La promesa en este escrito será sólo que así lo seguiremos haciendo. Sólo así valdrán todas las penas venideras; solo así tendrá valor cualquier palabra escrita o dicha; sólo así tendrá justo sentido para la libertad el encierro de Tito, como cualquier encierro por venir...

Carta de Gazir a Tito Kayak

27 de mayo de 2001

Tito:

Lamento no haberte escrito antes. Llevo conmigo tu carta empezada a escribir cien veces. Ya sabrás que "perdí" el caso de NY. Estaba arreglado. Fue por decisión política, como ya habíamos previsto. Espero la orden de arresto. Mientras tanto sigo haciendo mil malabarismos para dejar corriendo "las cosas" en mi muy posible ausencia. Te diré que cuando decidan venirme "a buscar", si así decidieran, lo tendrán que hacer en Vieques...

Bueno, no te abrumo más con mis cosas. Te envío el artículo que *Claridad* me publicó: "Tito Kayak: Guerrero del MAR". Déjame saber si te lo hacen llegar o no. Te envío, además, un libro y un recuerdo.

Hoy decidí no ir a la marcha de solidaridad frente a la prisión federal. Preferí ocupar el tiempo en hacer mi solidaridad a mi manera, trabajando para el porvenir. Y estoy contra el reloj...

Hermano, estás con nosotros en las mejores ideas libertarias. Estas entre nosotros en los actos por venir... Te veré pronto, en juicio o en prisión, o tal vez en la calle, ¿por qué no? Mientras, te seguiré viendo en mis pensamientos.

Un beso, un abrazo y ánimo revolucionario compañero, hermano, amigo.

Siempre,

***

...Tito fue sentenciado por el juez federal Héctor Laffitte a cumplir una pena de un año en prisión. Esta es la pena más severa dada hasta el momento por los actos de desobediencia civil en Vieques. El juez decidió que de algún modo Tito debería "aprender" a respetar la ley.

Durante el juicio no soltó una sola palabra. Todo lo que le restaba por decir lo hizo escribiendo en un trapo: ¡Bieké o Muerte!

Un año de prisión a Tito Kayak

20 de junio del 2001

A quien pueda interesar:

Ya a las diez de la mañana el Juez federal Héctor Laffitte había dictado sentencia de un año en prisión a Tito Kayak. Las razones de fiscalía, tras revocarle la probatoria y encerrarlo desde el pasado 5 de mayo, fueron las ya sabidas: las condiciones de probatoria violadas fueron las siguientes: regreso a Vieques cuando tenía prohibido hacerlo, viajó (sin permiso del oficial de probatoria) a NY y realizó el acto de solidaridad con Vieques en la Estatua de la Libertad, por lo que fue arrestado; volvió a Vieques y fue detenido por la policía local en actos relacionados al tumbe de la verja militar...

En la sala sólo estaba su padre y dos amigos más. No hubo prensa. El juicio no duró mucho tiempo. Todavía no han dictado sentencia sobre los cargos en NY. Tito puede enfrentar más tiempo en prisión y la posibilidad de que sea trasladado a una prisión federal fuera de Puerto Rico.

Hoy, nuevamente, un pedazo hermoso de nuestra patria ha sido condenado injustamente a un encierro por largo tiempo. Que todos se enteren, riega la voz...

Declaración abierta, denuncia y reclamo de justicia para Tito Kayak y los prisioneros por Vieques

viernes, 20 de julio de 2001

A quien pueda interesar:

San Juan, PR- Hace ya un mes que un amigo nuestro fue sentenciado a cumplir un año en la prisión federal por razones de injusticia y perversidad. Es una persona reconocida y muy querida en nuestro pueblo, que ha dado mucho y más por la causa de Vieques y que, tras ser sentenciado injustamente a un año en prisión, apenas ocupó un breve espacio en la atención de los medios. Y la atención de los medios es la mirada de nuestro pueblo y este pueblo se tiene que enterar con lujo de detalles que algo anda mal, muy mal. Alberto de Jesús (Tito Kayak) fue sentenciado por un juez prejuiciado contra las personas que le han salido al paso a la Marina de guerra norteamericana y han puesto sus vidas al frente para detener sus abusos y atropellos. El juez federal Héctor Laffitte, mientras la Marina sigue bombardeando en la isla de Vieques, sigue sentenciando absurdamente a las buenas personas que han arriesgado su libertad por la justa causa de ese pueblo. Laffitte, como sus colegas, ha tomado partida del lado de la Marina y eso hace de todo el proceso judicial uno viciado por entero de antemano.

Una cosa es tratar de imponer la ley, aunque se trate de una ley injusta, como al parecer han jurado bandera y profesión hacerlo los jueces federales. Eso es lamentable, pues un ser humano debe pensar por sí mismo primero y sobre todas las cosas, incluyendo la ley; e imponer con firmeza y determinación el más estricto sentido de la justicia. Ese es el mayor valor de la libertad y la vida democrática. Pero los jueces federales han asumido una posición abiertamente contraria al sentido de justicia de este pueblo y han conspirado para tratar de amedrentar e intimidar, de meter miedo a nuestra gente, imponiendo penas absurdas por pasar a una propiedad que, a todas cuentas, le fue robada por la fuerza a los viequenses hace ya muchos años. Pero la vida y la libertad de un solo ser humano vale más que cualquier propiedad y mucho más aún que una propiedad ilegítima y mal usada para dañar la salud y la vida de miles de seres humanos. Ojalá y bastara dejar a la conciencia de los jueces las decisiones que han tomado; ojalá y bastara consolarnos con saber que algún día la historia, nuestra historia, nos dará la razón.

Los jueces federales tienen un poder y lo están usando abusivamente. Por eso es imperativo y urgente que todos sean testigos de semejante absurdez y barbaridad. Para colmo, a Tito lo acusaron de delitos que no cometió. La evidencia que utilizó la fiscalía y la Marina fue tergiversada y manipulada por el juez Laffitte. Su interpretación no fue otra cosa que la imposición de su posición política a favor de la Marina de guerra.

A Tito lo acusan de cometer delito de agresión contra un militar, pero eso no es verdad. Y si no es verdad es porque es mentira. En el juicio para dictar sentencia en agosto pasado, después que Tito sufrió casi cincuenta días en prisión, el propio marino que supuestamente fue agredido negó que Tito lo hubiera agredido; aseguró que nunca vio que Tito le agrediera. Ese fue su testimonio y así está escrito. El soldado dijo que fue uno de sus compañeros quien le advirtió que tenía un golpe en la boca, presumiendo seguidamente que pudo haber sido durante la intervención y el arresto de Tito. Y seguro que hubo forcejeo. La ropa de Tito fue entregada como evidencia, completamente desgarrada por los marinos. Tito llegó en calzoncillos a la base naval de Ceiba y no fue precisamente porque prefiriera andar casi desnudo por cuenta propia. Eso también está en evidencia. Aún así el juez decidió, sin prueba ni razón justificatoria, mantener el cargo de agresión contra Tito. Hoy, por ello, pesan seis meses en su contra.

Pero eso no es todo. A Tito lo acusan de un delito específico, tipificado en el código de la ley federal como *trespassing*. Pero Tito entró por mar, en Kayak, y existe una diferencia entre las penas por estar en mar o en tierra. Así lo estipula la ley. Sin embargo, Tito fue volcado de su Kayak por un helicóptero de la Marina, lo que lo forzó a nadar hasta la orilla de la playa. Eso está grabado en video y fue presentado en televisión, en el canal 11, por Carlos Weber (aunque por alguna extraña razón no se presentó como evidencia en la sala del Juez Laffitte durante el juicio). En la orilla se le lanzaron encima los militares que lo esperaban para apresarlo. Y es verdad, Tito pudo haber decidido seguir nadando y resistir en mar hasta reventar o ahogarse, pero también pudo haber sido ahogado. Y ni lo uno ni lo otro. Logró llegar a la orilla, como cualquiera, razonablemente y por salvar su propia vida, hubiera hecho... o intentado hacer. Allí le cayeron encima y le desgarraron la ropa. Laffitte pudo haber visto ese video; ha tenido un año para hacerlo y ha preferido hacerse de la vista larga y admitir la versión exclusiva y política de fiscalía; es decir, de la Marina. Acusadora. A todas cuentas, Laffitte decidió imponer el cargo de penetrar ilegalmente a terreno (tierra y no mar) de la Marina. Seis meses más le impuso por ese absurdo y ridículo cargo. Un año en total.

Pero no fue en realidad por estar en terreno ilegalmente ni por agredir a nadie. Para esos cargos le había impuesto ya una probatoria tan absurda y ridícula como las condiciones de la misma. Hasta que llegó la ocasión, casi un año después, que las fuerzas militares y federales deciden revocar la probatoria a Tito y encerrarlo nuevamente, por casi un mes y medio antes de celebrarle juicio. Pero, ¿por qué le revocan la probatoria? No fue por volver a entrar a la zona restringida de la Marina. No fue por violar ninguna ley. Fue simple y sencillamente por volver a la Isla de Vieques y violar, sí, la absurda y caprichosa voluntad política del juez federal. A Tito lo sentencian a un año de prisión por entrar a Vieques, a ese pedacito tan maltratado de nuestra patria que, por delirios de grandeza y prepotencia, el juez federal Héctor Laffitte decidió aquel infame día que él no podría volver a entrar. Héctor Laffitte se ha atrevido a imponerle a un puertorriqueño la prohibición de entrar a un pueblo de su propia patria. El juez federal Héctor Laffitte ha tenido la desfachatez de atreverse a encerrar por un año a Tito por nada, por capricho o por desquite ante la firmeza y la determinación de nuestro querido amigo y compañero Tito. ¿Qué lugar tiene la justicia en esa decisión? Ninguno. La determinación de Laffitte sólo evidencia el rencor y la angustia que puede ocasionarle saber que la Marina, así encierre a la mitad de nuestra gente, se ira por fin y en definitiva un buen día, y ese día, grandioso para nuestro espíritu de pueblo, se acerca cada día más...

Pero ojalá bastara para consolarnos que las penas que se pagan hoy tendrán buenos frutos mañana. Un juez con tan claras posiciones políticas a favor de la Marina de guerra no puede sino juzgar en entera complicidad con este aparato bélico, en contra de la justicia y la paz en la Isla Nena y, como podemos dar testimonio y fe, en oposición a toda noción y sentido posible del hacer justicia. No sólo impone la ley, sino que se desquita de los desobedientes, como si se tratara de una riña personal contra nuestro pueblo y su gente más decente, que es la gente comprometida con los principios y los ideales de la no-violencia y la paz para Vieques.

Ante este cuadro, lamentable, vergonzoso y repudiable, exigimos:

1. Que el juez Laffitte se retracte de su determinación y libere inmediata e incondicionalmente a Alberto de Jesús.

2. Que todos los jueces federales se retracten de sus determinaciones y eliminen inmediata e incondicionalmente las penas y sentencias impuestas a las personas que hoy están encarceladas por entrar a denunciar y detener los mortales bombardeos de la Marina en Vieques

3. Que el gobierno de Puerto Rico, empezando por la gobernadora Sila María Calderón y terminando por los senadores y legisladores, se expresen en torno a este asunto y exijan al gobierno federal y a sus tribunales la inmediata e incondicional excarcelación de todos nuestros prisioneros de conciencia y prisioneros políticos en la prisión federal de Guaynabo.

Resultaría ideal que los medios de comunicación del país expusieran esta situación de injusticia y atropello contra nuestro pueblo y en especial el abuso cometido contra Alberto de Jesús. Sobre todo ahora que Tito, tras haber sido sentenciado a un año de prisión, todavía aguarda lectura de sentencia por la demostración en la Estatua de la Libertad; donde fue acusado del delito de trespassing, acusación tan arbitraria y política como la del juez Laffitte.

No sabemos con certeza si estos reclamos serán escuchados ni tomados en consideración. Nuestra experiencia no es consoladora. Baste, pues, que valga por una denuncia y, sobre todo, por una invitación reiterada a todas las personas que escuchen y a quienes pueda interesar: la Marina de guerra no se irá sola ni detendrá por buena voluntad los bombardeos. La tenemos que sacar; y los bombardeos hay que detenerlos. Para hacerlo hay que seguir presionando con determinación y firmeza en todas partes. Para hacerlo hay que fortalecer la lucha y la resistencia. Para hacerlo hay que asumir claras posiciones de conciencia. Para hacerlo hay que sumarse ya a la desobediencia...

***

Este escrito sería presentado a los medios de comunicación en conferencia de prensa llevada a cabo el viernes 20 de julio, donde se anunciaría el inicio de una campaña por la excarcelación de los prisioneros políticos y de conciencia por realizar actos de desobediencia civil en Vieques. Poco más de una semana adelante, al día siguiente del referéndum en Vieques, sería el juicio para lectura de sentencia en Nueva York, por el caso de la Estatua de la Libertad. Para el primero de agosto estaban pautadas las próximas maniobras militares, las terceras en un breve espacio de tres meses...

Comunicado de Prensa

A juicio cuatro estudiantes por desobediencia

21 de mayo de 2001

Hoy Lunes 21 de mayo serán juzgados **cuatro estudiantes universitarios** ante el Tribunal Federal de Hato Rey por los actos de desobediencia civil en Vieques realizados durante los pasados bombardeos. **Albanaí Valentín, Félix Aponte, Ricardo Morales y Gustavo García**, estudiantes de bachillerato de la Universidad de Puerto Rico serán juzgados por el Juez Fusté a las 9:00 de la mañana. Estos jóvenes estudiantes fueron arrestados por penetrar la zona restringida de la Marina de guerra norteamericana y llegar al área de tiro, donde permanecieron tres días como escudos humanos para detener los bombardeos.

Tras cuatro días en la cárcel federal, los cuatro jóvenes fueron liberados bajo fianza. Los jóvenes universitarios son miembros del Colectivo de Resistencia Amig@s de Vieques.

Cárcel a estudiantes

Comunicado de Prensa

21 de Mayo del 2001

New York, NY - El Colectivo de Resistencia Amig@s de Vieques denunció como un acto político, injusto y discriminatorio el encarcelamiento de cuatro de los miembros de su colectivo ayer, por el Juez Federal Fusté. Los jóvenes estudiantes universitarios Albanaí Valentín, Félix Aponte, Ricardo Morales y Gustavo García fueron sentenciados a cumplir cuarentaicinco días en la cárcel federal y pagar $500 de multa por entrar al área de tiro de la Marina de guerra en Vieques y actuar como escudos humanos para detener los mortales bombardeos. Al momento, Albanaí, de 19 años de edad, es la única mujer prisionera.

"Los jueces y magistrados federales están imponiendo penas severas con el sólo fin de intimidar a los luchadores por la causa de Vieques y eso es una posición política a favor de la

Marina de Guerra", denunció el profesor universitario Gazir Sued, portavoz del colectivo.

"Nuestros compañeros fueron sentenciados y encarcelados injustamente por las autoridades federales, por realizar actos de conciencia en solidaridad con la justa causa del pueblo viequense. Nuestros compañeros son prisioneros políticos. Con ellos todo nuestro respeto, admiración y solidaridad. Son ejemplo y esperanza viva de esta lucha", declaró Sued.

El Colectivo de Resistencia exige al presidente George W. Bush y a las autoridades federales el inmediato e incondicional excarcelamiento de todos los prisioneros políticos puertorriqueños, así como que respete la determinación de paz del pueblo viequense, que exige la salida de la Marina de guerra norteamericana de sus tierras.

Discurso de Albanaí Valentín Narváez ante el Juez Federal[1]

21 de mayo de 2001

Años más adelante, al recordar este momento en el que me dirijo a usted y al pueblo de Puerto Rico para decirles el por qué hemos violado la ley, será un recuerdo muy cargado de lágrimas, frustración e impotencia y de muchos sentimientos que no tienen palabras, que sólo se descargan con actos, pero, por encima de todo, será un recuerdo descrito como uno de triunfo. Nosotros, estudiantes, sabemos todo lo que arriesgamos al sumarnos a esta lucha, pero nada basta para dormir esta chispa de pasión que nos come por dentro al ver tanta injusticia; nada nos va a detener ante un maltrato constante y despiadado a nuestra madre tierra, nada. No sé qué será de nosotros estos próximos días, quizás meses, pero sé que encerrados o bajo cualquier otra forma de castigo, sólo se fortalecerá esta chispa...

También por seguro tengan que nuestra determinación de lucha no se quedará solo en nosotros. En un futuro a nuestros hijos

[1]Albanaí Valentín, Ricardo S. Morales, Félix I. Aponte y Gustavo García fueron sentenciados a cumplir cuarentaicinco días en prisión y a pagar una multa de $500 dólares. La razón del Juez fue que no mostraron ningún arrepentimiento cuando ejercieron su derecho a hablar antes de ser sentenciados.

les enseñaremos a sentir en lo más hondo cualquier injusticia cometida contra cualquiera, en cualquier parte del mundo, así como nos lo han enseñado nuestros padres y mucha otra gente que daría su vida por ello; como nuestro amigo Tito Kayak, encarcelado por ser un hombre con valor y honor desbordado.

Mientras estábamos en el campo de tiro, intentando detener los bombardeos, nos sentamos a tomar un descanso y conversamos sobre nuestras razones de estar allí, en ese momento. Felito mencionaba irónicamente que la Marina de Estados Unidos estaba en Vieques para defendernos y protegernos, mientras escuchábamos caer las bombas muy cerca. También recuerdo que nos dijo que muchas veces la ira se apodera de él, al presenciar cómo las familias se sienten incapaces de defender su propia vida, con un miedo constante.

El deber de nosotros, estudiantes, en este momento es hacer escuchar nuestra voz y, ante la incapacidad del gobierno y los inefectivos procesos burocráticos, la única opción que nos queda para lograr la paz es arriesgar nuestras vidas y nuestra libertad entrando al área prohibida; y así lo hicimos.

Sería repetitivo abundar sobre todos los daños que provocan los bombardeos, desde las altas incidencias de cáncer, el grave impacto ambiental, hasta los daños físicos y emocionales que son irreparables para el pueblo viequense. Esto es intolerable e inaceptable y ya el mundo lo sabe. Hoy nosotros no somos los que estamos siendo juzgados, es la Marina de Guerra.

Es por estas y muchas más razones que estamos aquí. Mientras aún existan injusticias y atropellos a la humanidad seguiremos luchando y no será la última vez que tengamos que dar cara.

Carta de Albanaí desde la cárcel

8 de junio de 2001

Gracias Sr. Juez porque al encerrarnos aquí hemos ganado tantas cosas: hemos comunicado nuestro mensaje de paz a todas las empleadas de esta institución y a las amigas confinadas. Gracias Juez por esta condena que ha provocado que nuestro valor, espíritu y compromiso haya crecido, por habernos hecho perder el miedo al encierro, por habernos unido más como pueblo. También quiero decirles a todos y a todas que esta lucha se llama Puerto Rico, que nosotros acá adentro y ustedes allá afuera, y todas y todos los guerreros que entrarán al área restringida se definan con tan solo un grito; que la emoción que ustedes sientan ante un triunfo o ante un saludo escondido es el mismo que sentimos nosotros cuando les vemos como una familia levantando un mismo canto. Gracias Juez, porque he sido cómplice y conspirador en todo esto. Gracias pueblo, por tan bello corazón.

Albanaí Valentín Narváez, prisionera política #21548-069

Félix I.Aponte, prisionero político #21547-069

Discurso de Félix I. Aponte ante el Tribunal Federal

21 de mayo de 2001

Quiero que al momento en que tome la decisión de nuestra condena piense que nosotros no desobedecimos esta ley por capricho, sino porque entendemos que esta ley representa la prohibición a los viequenses y a los demás puertorriqueños a expresar su sentir sobre las prácticas bélicas en dicha isla. Nosotros intentamos detener unas maniobras bélicas que, hasta el presidente de los Estados Unidos admite, no se deberían llevar a cabo en dicho lugar y que, por atentar contra la vida de un pueblo del cual somos parte, era nuestra responsabilidad y deber el evitar que dichas maniobras continuaran llevándose a cabo. Cuando emita ese veredicto nos estarán penalizando, no por entrar a terrenos restringidos, sino por defender y proteger la seguridad y el bienestar de miles de puertorriqueños que son ciudadanos americanos. Por lo tanto, le sugiero y le pido que su decisión la tome respecto a todo lo antes expresado, ya que éstas son las razones por las cuales cometimos los actos que hemos cometido. El cargo de *traspaso* es sólo una ley que desobedecimos, pero desobedecimos para seguir intentando que se siguiera cumpliendo el derecho inalienable a la calidad de vida de todo ser humano. En sus manos queda la decisión que tome.

Carta de Félix I. Aponte desde la prisión

5 de junio de 2001

Han sido muchas las vivencias, de esas que marcan la vida de un ser humano, que he tenido en estos últimos dos años en la lucha de Vieques. Al igual que el resto de Puerto Rico, que ha vivido un proceso de maduración de conciencia, mi experiencia no ha sido diferente a la de otros tantos compañeros al participar de lleno en favor de esta causa. Este proceso, quizás por suerte o quizás por el destino, me tocó en una de las etapas más complejas e importantes de toda persona, entre mi cuarto año de escuela superior y el primer año de universidad. Por esto me siento dichoso, ya que, aunque estoy seguro que el futuro me tendrá un sin numero de obstáculos, he sabido como mantener la esperanza y seguir hacia delante, a ser perseverante. Esto y mucho más me ha brindado Vieques…

Desde muy joven sentí cierta intriga por entender por qué las islas de Vieques y Culebra se mantenían al margen de los sucesos que ocurrían en el país. Pero en especial no entendía, ni me había planteado hallar una respuesta, a por qué la isla de Vieques tenía todos sus habitantes en el centro de la misma. Aunque siempre me interesó la política y la situación colonial de nuestro país, no me había dedicado a buscar ni a investigar mucho sobre ello. Mientras fui madurando, comencé a investigar más sobre todas esas preguntas que tenía en mi cabeza. Así pasó el tiempo, hasta el anuncio de la muerte de David Sanes. Luego fue la noticia de que un tal "Tito Kayak", luego de un acto ecuménico por la muerte del joven viequense, había decidido quedarse en el área de tiro hasta que la Marina se fuera de Vieques. Ese mismo día le dije a mis compañeros de clase en la escuela superior: "Yo voy a ir a Vieques".

Efectivamente, en el verano de 1999, fui por primera vez a esa isla municipio. Fui con dos desconocidas, que más tarde serían dos entrañables compañeras de lucha y amigas. En ese primer viaje a Vieques todo me parecía cotidiano, como si ya hubiese visto y vivido en ese pueblo. Cuando salimos hacia el campamento, en la lancha de Papo "Mantecado", me percaté del terrible contraste entre las primeras playas y las playas en el área de bombardeo. Comencé a comprender lo que significaba la presencia militar de la Marina en la isla.

Cuando estábamos llegando al campamento de desobediencia en el área de tiro, que observo tanto el O.P. (Observation Point) como el Campamento Monte David, entendí que esta forma de lucha era poderosa, ya que luego de dos meses que se formó el primer campamento de resistencia, todavía se mantenía firme y con gran apoyo del pueblo. Una vez llegué al Monte David, decidí caminar y observar este nuevo horizonte. Algo dentro de mí me decía que yo pertenecía a ese pedazo de tierra, con su gran historia, y no podía dejar que nadie afectase esa tierra para el daño de sus habitantes. Mientras caminaba por los caminos de tierra observé un sin numero de bombas de diferentes tamaños y muchas de ellas sin detonar; lagunas llenas de cráteres y secas; muy poca vegetación y tanques, aviones y camiones abandonados por los montes. Al dirigirme en dirección al este, casi al final de la carretera, observé mucha vegetación seca (parecida a la del Bosque seco de Guánica) y, al final de dicho "bosquecito", llegué al faro de la punta este de Vieques. Quedé atónito al presenciar como el Océano Atlántico y el Mar Caribe se unían frente a mis ojos. En ese momento me convencí de que debía hacer todo lo que estuviera a mi alcance para lograr que los viequenses pudieran rescatar su Isla y sacarla de las manos del imperio estadounidense. Luego de ese primer encuentro con Vieques decidí prepararme intelectualmente para comprender mejor la situación. Analicé toda la información, tanto de la Marina como la del pueblo puertorriqueño, sobre las razones para que la Marina continuara o no controlando la mayor parte de las tierras y bombardeando. Esto me llevó a la conclusión de que debía seguir echando pa'lante para que la Marina se fuera de Vieques.

Hasta el sol de hoy todavía mantengo firmes mis convicciones de lucha en todos los frentes que pueda y de todas las formas posibles y, a la vez, preparándome física, emocional e intelectualmente para poder continuar en mi vida siendo una persona que trabaja por el beneficio de todos, como lo he estado y seguiré haciendo en esta lucha. Por eso he podido contribuir, no tan solo haciendo desobediencia civil, sino educando y concientizando a mucha gente sobre al situación de Vieques. Mi condición de estudiante universitario (por el acceso a información más completa, precisa y detallada, como las investigaciones científicas) me permite servir de instrumento para que otras personas que no tengan esos privilegios puedan recibir los datos correctos, sobre lo que ocurre en el país y, en este caso, con Vieques. Asumo la responsabilidad como puertorriqueño y universitario de luchar contra la injusticia y de brindar la información de forma objetiva y actualizada. Entiendo que así lo he hecho y así debemos continuar haciéndolo en nuestras áreas fuertes, ya sea haciendo desobediencia o de otra forma.

Gustavo García, prisionero político #21546-069

Ricardo Sivael Morales de Jesús, prisionero político #21545-069

Comunicado de Prensa
A juicio dos estudiantes del CRAV

Hoy Lunes 4 de junio serán juzgados dos **estudiantes universitarios** ante el Tribunal Federal de Hato Rey por los actos de desobediencia civil en Vieques realizados durante los pasados bombardeos. Nairem Morales de Jesús y Jesús A. Angleró, estudiantes de bachillerato de la Universidad de Puerto Rico, serán juzgados por la magistrado federal Ana Delgado a la 1:30 de la tarde. Estos jóvenes estudiantes fueron arrestados por penetrar la zona restringida de la Marina de guerra norteamericana y llegar al área de tiro, donde permanecieron varios días como escudos humanos para detener los bombardeos. Actualmente estaban libres bajo fianza. Los jóvenes universitarios son miembros del Colectivo de Resistencia Amig@s de Vieques.

Discurso de Jesús Angleró ante el Tribunal Federal[2]

4 de junio de 2001

Honorable Señoría:

Con todo respeto, me llamo Jesús A. Angleró Figueroa y soy estudiante de educación en biología de la Universidad de Puerto Rico, en el recinto de Río Piedras.

Mi padre nunca me habló de partidos políticos ni de ideales de ninguna clase, pero siempre, y sobre todo, me enseño el lado humano, el lado de la sensibilidad y el amor por la vida de la naturaleza y del ser humano, por lo cual decidí estudiar lo que estudio, para entender la naturaleza de la vida y enseñar a valorarla. Muchos se preguntan por qué arriesgar la vida en un campo de tiro en Vieques, pues lo hago por el amor que tengo por mi tierra, por mi gente, y lo orgulloso que me siento por este pueblo. Ya es hora de que nos tomen en consideración a nosotros los puertorriqueños, que hemos hecho relucir a los ejércitos de Estados Unidos, siempre yendo al frente en los batallones de guerra en Corea, Vietnam y

---

[2]A Jesús y a Nairém los sentenciaron a cumplir 30 noches en prisión, de siete a siete diariamente. El juez les impuso un año de probatoria.

otras. Además, no tan sólo en guerras sino también en el ámbito profesional: ingenieros, abogados, médicos, artistas, han aportado a la formación de lo que es ahora Estados Unidos. Ya basta que nos utilicen como conejillos de indias para cualquier experimento por capricho del gobierno norteamericano; nos merecemos el respeto que no nos tienen.

Ya es evidente el impacto ecológico y ambiental en la Isla Nena, no se puede tapar de ninguna forma, lo sabe todo el mundo y también es evidente que tarde o temprano afectará a la Isla Grande. La Marina no sólo destruye y contamina nuestras tierras sino que también contamina las mentes de muchos puertorriqueños, poniéndolos en contra de sus hermanos y olvidando la tierra que los vio nacer y les ha dado de comer.

Hoy, señoría, 4 de junio del 2001, al igual que mi bisabuelo Don Pedro Angleró, fiel amigo del Dr. Ramón Emeterio Betances y último superviviente del Grito de Lares, doy la cara frente a este tribunal, frente a este atropello que tienen con nosotros los puertorriqueños y espero que Dios me de la fortaleza que le dio a mi bisabuelo, que duró más de ciento diez años, pues mientras viva seguiré luchando por mi tierra, por mi gente y por todo aquello que sea injusto.

Discurso de Nairem A. Morales de Jesús ante el Tribunal Federal

4 de junio de 2001

Hoy, nos acusan de traspaso y ante sus acusaciones decimos sí, paso tras paso, tras paso, haremos ese camino que sólo se hace al andar, y al volver la vista atrás veremos una Isla Nena libre de bombas y en libertad. Porque en los oscuros montes que parecían intraspasables esa fue nuestra brújula, la imagen de un Vieques libre. Sobre lo que me motivó, les confieso que aún hasta anteayer eran una mezcla indefinida de razones, pero con mi visita a la Isla Nena todo se hizo claro en ese último amanecer que viera desde el mirador en el Monte Carmelo, en compañía de aquellos que me regalarían la verdad, los niños y niñas viequenses.

Vi a Joshua y a Yakira en un carro que fuera su escalón para montar uno de los caballos del monte, para correrlos sin silla y sin freno; o marchando frente a la casa, con sus palos y banderas blancas, cantando himnos de lucha y victoria. Escuché su historia de cómo se trepaban en la torre a tirar fango a las guaguas de la Marina. Harito, por su parte, ensilló una yegua para que yo la cabalgara y Lulín nos habló de jinetes que montan corazones y cabalgan por la paz.

Y fue a galope que el viento desempolvó mis razones y despejó mis intenciones, porque los niños de Vieques han pagado demasiado caro el precio de la paz que todavía se les adeuda.

Y a este tribunal, con todo el respeto le digo: A nosotr@s nos podrán encerrar, pero las huellas de nuestros pasos no quedarán borradas y sobre éstas se harán nuevas; lo que me tranquiliza, porque son ellas y no yo las que serán la ruta de un pueblo que camina unido.

Y a mi familia y amigos, les recuerdo que: "...al final de este viaje estaremos tú y yo, intactos... quedamos los que puedan sonreír, en medio de la muerte, en plena luz..."

Posición de Abderramán Brenes ante el Tribunal Federal

Quisiera por comenzar diciéndole a Usted y a su Amo, el imperio norteamericano, que no acepto, ni aceptaré su jurisdicción de poder despótico y menos aún una bomba más en la Isla Nena. No sé por qué nos encontramos en este lado de la sala, si los que debieran estar, los verdaderos culpables, son la Marina de guerra de los Estados Unidos. Los corrompedores de la paz de este pueblo, los destructores de nuestra flora y fauna, y de nuestras bellas y hermosas playas; los culpables de haberle quitado a Vieques muchas vidas inocentes. Los culpables sí, los que día a día arremeten contra la dignidad de mi patria, que solo busca paz y liberación. Es a nosotros los que juzgan y condenan, y luego tildan de desobedientes, cuando en realidad somos obedientes a nuestro deber patriótico. Nos pueden encerrar y quitarnos la liberta física, pero jamás la libertad espiritual. Porque ustedes por conquistar se vuelven esclavos de sus conquistas y nosotros por liberar somos libres.

Quisiera por último decir: queremos ser libres, libres como el viento. Queremos ser soberanos, soberanos como los océanos.¡Abajo el imperio Yankee, Viva Puerto Rico libre!

***

Gran parte de los desobedientes enjuiciados por el Tribunal Federal han preferido permanecer en silencio ante los jueces. Muchos lo han hecho por convicción política, al no reconocerle jurisdicción sobre los puertorriqueños. Otros han aprovechado el momento para decir lo suyo a su tiempo, a sabiendas que cualquier cosa dicha, si reafirmaba sus razones para la desobediencia, podría perjudicarle al dar lugar para hacer más severa la sentencia, pues se confirmaría, por voz propia, el mayor temor de los jueces y del sistema judicial al que asisten y representan: que los transgresores, podrán mostrarse nerviosos, pero no se arrepienten. Y, aunque algunos callan por asesoramiento o estrategia legal más que por voluntad propia, otros, al callar lo hacen en la convicción de que ya sus actos ya han hablado por ellos.

La desobediencia civil, como acto de conciencia, está abierta a que cada cual decida cómo dar cuenta de sus propios actos. Y el silencio es un modo de hacerlo, como lo hizo Tito ante Laffitte. Tal vez valga para la ocasión invertir el dicho popular y decir: a oídos necios, palabras mudas. Lo que de hecho no puede ser puesto en duda es que muchos, después de haber sido arrestados o antes de ir a juicio siguen activos en la lucha. Incluso una buena parte de quienes han cumplido penas en prisión han vuelto enseguida a Vieques a demostrar su determinación de continuar en pie de lucha. No todos los que pudieran ser, es verdad. Pero, sin duda, los mejores...

Junio-Julio 2001
Hablan "los encapuchados"

Conferencia de prensa de "los encapuchados", celebrada en el Monte Carmelo, el 27 de junio de 2001.

Las maniobras militares volvieron a reanudarse, esta vez programadas para extenderse por un periodo de casi veinte días. El nuevo gobierno había prometido sacar la fuerza de choque de Vieques y reducir los efectivos policiales de la zona. Sin embargo, dobló el número de policías y dio órdenes para asumir una posición más represiva aún contra los luchadores por la causa viequense. Aunque públicamente continuó apoyando los actos de desobediencia civil, paradójicamente dificultaba las gestiones de la desobediencia. El gobierno de Sila María Calderón prohibió la utilización de máscaras, convirtiendo en delito la protección de las identidades de quienes posibilitaban gran parte de las entradas a la zona militar. Ahora la lucha no se daría sólo contra la Marina de guerra sino a pesar del nuevo gobierno, que impartió ordenes de arresto a todo el que anduviera encapuchado.

"Adentro" las condiciones no variarían, mientras "afuera" un nuevo obstáculo vigilaría más de cerca las acciones civiles contra la Marina, acosando y persiguiendo la desobediencia. Pero la promesa del pueblo estaba echada a correr y una dosis mayor de represión sólo dificultaría más aún la tarea, mas nunca la podría detener. El pueblo seguiría firme en su determinación y esta vez, "los encapuchados" serían cada vez más...

Conferencia de Prensa

"Hablan los encapuchados de Vieques"

"¿Quién de entre nosotros se esconde tras una máscara?
Nadie.
¿Quién entonces está tras las máscaras que cubren nuestros rostros?
¡Todos!"

I

miércoles, 27 de junio de 2001

A quien pueda interesar:

Vieques, PR- Siempre ha habido, durante todos los procesos de lucha que ha librado nuestro pueblo, personas malintencionadas que han tratado de desvirtuar los actos que se llevan a cabo por la Justicia y la Paz en la Isla de Vieques. Estas personas han tratado de confundir a la gente y de meterle miedo por nuestras acciones, indistintamente del modo como se lleven a cabo. Para lograr este objetivo, estas personas han tratado de mil maneras de proyectar una imagen distorsionada de nuestros actos y, del mismo modo, han puesto gran empeño en manipular y tergiversar nuestras intenciones.

Todos saben que en Vieques existe un movimiento creciente de "encapuchados". Eso no es noticia nueva. Sin embargo, hay quienes en días recientes han querido causar la impresión de que este movimiento es nuevo y que tiene intenciones extrañas y contrarias a las de la Justicia y la Paz de Vieques. Eso no es cierto. **Las personas "encapuchadas" son parte de un mismo movimiento en la singular causa de Justicia y Paz para Vieques. Este movimiento es un movimiento de pueblo; un modo más de participación y envolvimiento del pueblo, en solidaridad práctica contra el embate de la fuerza militar en Vieques.**

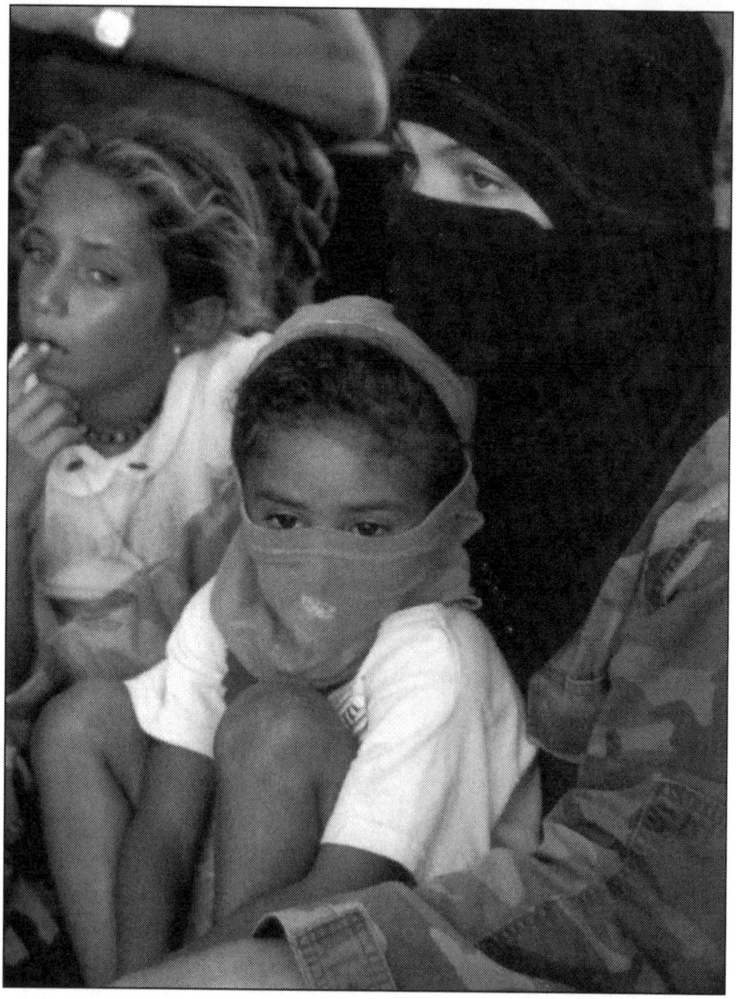

Los llamados "encapuchados" somos, como hemos sido en el pasado, parte integral de la fuerza vital de esta lucha. Creemos y actuamos de acuerdo a los principios esenciales de Justicia y Paz.

Al paso continuo de patrullas y camiones militares y sus torres de observación se le suman las rondas de vigilancia de la policía estatal, dificultando la entrada de los desobedientes.

Creemos que la paz –como decía Ghandi– no es la ausencia de tensiones sino la práctica de la justicia. Sabemos que, mientras no exista justicia en este pueblo, jamás tendremos paz, y que el principal obstáculo y la base de la injusticia mayor es la presencia militar en esta isla.

Somos y hemos sido **guías por la paz** en Vieques, al ser los guías de los desobedientes, y no es posible penetrar a la zona ocupada y restringida de la Marina sin la debida indumentaria. Es esta una razón de peso por la que precisamos encapucharnos y camuflajearnos. Cualquiera con un sentido mínimo de razón y entendimiento puede entender esto.

También somos, además de guías, **escolta de los civiles** que penetran la zona ocupada por la Marina para denunciar la presencia militar y exigir, arriesgando su libertad, el cese inmediato e incondicional de los mortales bombardeos.

"Los encapuchados" actuamos de acuerdo a los principios de **no-violencia**. Por eso **guiamos y escoltamos** a los desobedientes civiles, asumiendo dos tareas principales: 1) La tarea de ayudarlos a cruzar la verja militar y 2) **la responsabilidad** de ser testigos presentes al momento de la intervención militar. Velamos por que se cumpla el "debido proceso de arresto" por parte de la fuerza militar, es decir, que no se violen los derechos fundamentales de los desobedientes civiles. **"Los encapuchados" nos hemos comprometido a velar por la seguridad de las personas que ayudamos a penetrar a la zona ocupada por la Marina, en actos de desobediencia civil. "Los encapuchados" no permitiremos que la Marina de guerra maltrate, agreda o viole algún derecho de los civiles intervenidos.**

La Marina fotografía y filma a los civiles en territorio civil y no tenemos por qué creer que algún día no decidirán tomar represalias contra particulares. **Por motivos de seguridad nos hemos visto forzados a ocultar nuestros rostros.** Pero también por razones de seguridad inmediata, pues sabemos que la Marina ataca indiscriminadamente a la comunidad civil con gases lacrimógenos, como se ha evidenciado en días recientes.

Nadie debe temer a los encapuchados. Somos parte de esta lucha. Cubrimos nuestros rostros por las razones que ya hemos expuesto. **Encapuchado puede ser cualquiera, los encapuchados somos todos; el pueblo está tras nuestras máscaras.**

II

En días recientes fuimos testigos de los abusos y atropellos a los civiles arrestados por la Marina. Esto no es nada nuevo. Sólo que ya no pueden negarlo. Sabemos que aún así se han negado a retractarse del modo como han intervenido y han dejado claro que continuarán haciéndolo de la misma manera: violando la dignidad y los derechos humanos fundamentales de los civiles intervenidos.

Ante esta situación, nosotros, "los encapuchados", seguiremos guiando y escoltando a los civiles para que realicen efectivamente los actos de denuncia y exigencia de derecho de justicia y paz mediante la desobediencia. **Seguiremos estando presentes durante el proceso de intervención y arresto para velar por la seguridad de los civiles y porque se respeten los derechos de los mismos. Y lo reiteramos: no toleraremos más abusos, maltratos o agresiones por parte de la fuerza militar. Nos daremos a respetar...**

Ayer, mientras guiábamos y escoltábamos a Lolita Lebrón, patriota, luchadora y reserva moral de los más altos valores de esta patria, hacia la zona ocupada por la Marina, la policía nos cercó y se lanzó sobre nosotros para aprisionarnos. Estaban presentes en el mismo lugar varios civiles, religiosos y miembros de la prensa. La policía se lanzó sólo contra "los encapuchados". Casi veinte de "nosotros" logramos burlarlos y escapar. Dos compañeros fueron arrestados.

La policía, al intervenir contra "nosotros", no sólo entorpece el movimiento por la paz en Vieques, sino que pone en riesgo a los civiles que luchan por ella. Exigimos a la policía de Puerto Rico que, si no puede ser solidaria con la causa viequense, no sea traidora a ella.

Esta mañana, según un diario local, el jefe de la policía en Vieques alegaba que para lograr escaparnos utilizamos gases de pimienta contra la policía. Eso es falso y lo emplazamos por este medio a que trate de probar esa falsa y difamatoria acusación. Por nuestra parte, que baste con preguntarle a los presentes, quienes nos acompañaban ese día.

De acuerdo a los principios que guían nuestras acciones, **queremos denunciar, además, la intervención indebida y discriminatoria de la policía de Puerto Rico**. Sabemos que la alta jerarquía de la policía de Puerto Rico ha decidido desentenderse de los abusos de la fuerza militar a los civiles y ha optado por servir de fuerza de seguridad privada de la Marina de guerra norteamericana. Esta función de seguridad la hemos asumido, en parte, "los encapuchados". Exigimos que la policía cese y desista de intervenir contra "nosotros", quienes protegemos a los civiles de la posible fuerza bruta y de la agresión militar. Sabemos que hay policías que son sensibles ante los abusos de los militares y que son solidarios con la causa en Vieques. Pero también que hay policías que "trabajan" contra la paz y la justicia en este pueblo.

"Los encapuchados" seguiremos apoyando los actos de desobediencia civil y no vamos a permitir que la fuerza militar agreda a ningún desobediente.

"Los encapuchados" no vamos a quedarnos callados, ni de brazos cruzados, ante la complicidad de la policía de Puerto Rico con la fuerza militar.

"Los encapuchados" seguiremos luchando hasta que logremos sacar en definitiva a la Marina de la Isla de Vieques.

"Los encapuchados" no vamos a permitir abusos o agresiones de ningún tipo contra civiles, ya sea por parte de la fuerza militar o ya por parte de la policía de Puerto Rico.

"Los encapuchados" seguiremos luchando por la justicia y por la paz.

¡"Los encapuchados" nos daremos a respetar!

De izquierda a derecha, los jóvenes que entrarían esta vez: César, Diego, Martín, Rubén y Freddie.

Comunicado de Prensa

Estudiantes penetran zona de tiro

29 de junio de 2001

Vieques, PR – A primeras horas de la madrugada del viernes, un grupo de 5 jóvenes incursionó a la zona militar con el objetivo de detener el bombardeo de la Isla Nena. Con la ayuda de los "encapuchados por la paz de Vieques" los jóvenes burlaron con éxito el perímetro militar, adentrándose en la maleza del Campamento García para servir de escudos humanos.

La Marina está supuesta a concluir estos ejercicios militares durante este fin de semana, según programado.

"No confiamos en la Marina", indicó el estudiante doctoral Freddie Marrero, uno de los desobedientes. "Queremos interrumpir los bombardeos, queremos asegurarnos que la Marina no bombardee más la Isla Nena. Estamos dispuestos a usar nuestros cuerpos como escudos humanos para lograr que así sea", reiteró Marrero, quien es, además, uno de los activistas pro-Vieques que fue arrestado en Nueva York por interrumpir un partido de béisbol en el Yankee Stadium, como acto de solidaridad con la lucha viequense.

"Estamos decididos a seguir interrumpiendo estos mortales ejercicios de la Marina para que no puedan cumplir las maniobras programadas", agregó Diego de la Cruz, otro de los jóvenes que incursionó al terreno militar. "Mientras menos proyectiles caigan en mar y tierra, menos daño se le hace a Vieques. No queremos ni una bomba más".

César Pacheco, otro de los desobedientes, declaró que "estas nuevas maniobras, que son las más prolongadas en muchos años, han sido interrumpidas en varias ocasiones, demostrando, una vez más, la voluntad y la preparación de nuestro movimiento. Hoy nuevamente haremos valer el intento de detener el aparato militar que se cree el más poderoso del mundo".

Los jóvenes proyectan utilizar luces de bengala y colocar banderas de Vieques y Puerto Rico en el área de tiro para dar a conocer la presencia de personas en el campo militar y así detener los bombardeos.

Los desobedientes informaron que estarán comunicándose desde la zona restringida para dar a conocer su situación.

Además de Marrero, de la Cruz y Pacheco, la zona de tiro fue penetrada por los jóvenes universitarios Rubén Darío Bonilla y Martín J. Castro.

Comunicado de Prensa

Salen cinco del campo de tiro

30 de junio de 2001

Vieques, P.R.- Los cinco jóvenes que penetraron la zona restringida de la Marina el pasado viernes en la madrugada, tras llegar a pie al área de impacto y constatar la culminación de los bombardeos, lograron burlar nuevamente la seguridad militar y salir de la zona restringida.

Freddie Marrero, Ruben Darío, Martín Castro, César Pacheco y Diego de la Cruz, estudiantes universitarios, salieron satisfechos de su incursión, tras una jornada de más de veinticuatro horas dentro de la zona de impacto. "Entramos con el ánimo y la determinación de llegar al área de tiro y servir de escudos humanos para detener los bombardeos, que estaban programados para continuar hasta el sábado a la medianoche. Al llegar a la zona de impacto constatamos la culminación de las maniobras y decidimos salir nuevamente", indicó Freddie Marrero, candidato doctoral de sociología, tras salir de la zona restringida.

"Hoy somos cinco más que conocemos la zona y que estamos determinados a volver a entrar y servir de guías a quienes quieran actuar de escudos humanos para los próximos bombardeos", añadió Diego de la Cruz, estudiante de diecinueve años, al salir esta madrugada junto a sus compañeros.

"Esta tierra pertenece al pueblo viequense y no vamos a permitir que la Marina la siga contaminando y destruyendo. Esta tierra la vamos a rescatar", puntualizó Rubén Darío, otro de los jóvenes que incursionaron a la zona de impacto.

Los cinco jóvenes estarán presentes hoy sábado al medio día, durante el izamiento de la gigantesca bandera de Puerto Rico (50 x 30) en el Monte Carmelo, en Vieques. Durante este acto se estarán dando declaraciones de prensa.

Las maniobras militares cesaron y esta vez, como antes, con seguidas interrupciones por parte de los desobedientes. Durante estos días en la Isla Grande se había desatado una "guerra de banderas", pues el ala derecha del movimiento estadista, favorecedor de la permanencia de la Marina en Vieques, habían ocupado la capilla ecuménica en la loma de los vientos, en el Viejo San Juan (donde Tito había sido arrestado), quemaron la bandera viequense e izaron la norteamericana. Todo parecía darse como preámbulo al día de la independencia estadounidense, para cuando el sector estadista convocaba una movilización masiva a favor de la bandera norteamericana y, de paso, a favor de la permanencia de la Marina en Vieques.

Además, para finales del mes de julio estaba ya proyectada una consulta "criolla" en Vieques que, aunque sin repercusiones legales sobre el gobierno federal, se auguraba una derrota masiva sobre los simpatizantes de la Marina de guerra. Los medios de comunicación ya se habían ido de Vieques y nada se esperaba que ocurriera en esos próximos días. El pasado año, para esta misma fecha, los estudiantes de la escuela de derecho de la UPR penetraron a la zona militar y fueron arrestados. Nosotros bloqueamos la salida de los militares y fuimos barridos por la fuerza de choque, que abría paso a los militares. El 4 de julio siempre será un buen día para recordarle a los militares norteamericanos que llegará un mejor día aún en que al fin se irán...

Comunicado de Prensa
"Maniquís desobedientes penetran zona militar en Vieques"

4 de julio de 2001

Vieques, PR – Los colectivos de Resistencia Amig@s de Vieques, Amigos del MAR y Jinetes por la Paz, en coordinación con los "encapuchados" de Vieques, incursionaron hoy a las 5:30 PM en terrenos ocupados y restringidos por la Marina de guerra desafiando nuevamente la presencia militar y burlando exitosamente su seguridad, para llevar a cabo una manifestación de protesta contra la presencia militar en esa Isla.

"Escogimos este día, día de la Independencia de Estados Unidos, para hacer este acto, pues *ellos* (los norteamericanos) sufrieron hace más de doscientos años circunstancias similares a las que hoy sufre el pueblo viequense, precisamente por los abusos de una fuerza militar invasora", señaló Llaima Sanfiorenzo, portavoz de los colectivos, quien ya fue arrestada tras incursionar en la zona de bombardeo el pasado mes de abril.

Los colectivos de resistencia se replegaron en la zona y colocaron unos maniquís tamaño natural de los padres de la independencia de los Estados Unidos dentro del perímetro militar. "Estos maniquís representan los principios de justicia y libertad que sirvieron de horizonte a la liberación de los Estados Unidos de Norteamérica del yugo opresor del imperio británico y su poderío militar. La situación por la que atraviesa el pueblo viequense con relación a la Marina de guerra norteamericana es similar a '*la larga cadena de abusos y usurpaciones*' de las que fueron víctimas las colonias durante el período revolucionario," señaló Freddie Marrero, candidato doctoral de sociología en New York, quien penetró en días recientes a la zona de bombardeo y salió junto a sus compañeros sin ser apresado por la seguridad militar.

Al momento en que los soldados intervenían con los maniquís, mediante amplificadores de voz, se escuchaba una adaptación del discurso de independencia de los Estados Unidos a la realidad del pueblo Viequense, dando la impresión que la voz salía de los propios maniquís. Cada maniquí llevaba en sus manos una versión de dicha declaración.

Mientras los maniquís eran colocados en el terreno restringido de la Marina, tras la verja militar, los "encapuchados" de Vieques aguardaban replegados en la zona mientras velando por la seguridad de los manifestantes, como recientemente habían prometido seguir haciendo. Así mismo, con una gran bandera puertorriqueña, se apostaron los jinetes por la paz.

"Con este acto queremos llamar la atención a la conciencia histórica de los soldados, apelar a su sentido patriótico y recordarles el lado humano que se supone, en principio, guíe las acciones de todo soldado. Esperamos que ellos puedan recordar las verdades evidentes, '*que todos los hombres son dotados de ciertos derechos inalienables; que entre éstos están la Vida, la Libertad y la búsqueda de la Felicidad.*' Deben preguntarse acerca de los atentados contra la vida, la libertad y la búsqueda de la felicidad realizados por las instituciones que ellos defienden," sostuvo Marrero.

"Es una gran contradicción que por un lado digan que trabajan para defender los principios de libertad, democracia y los derechos humanos y que en la práctica hagan todo lo contrario. Detrás de sus uniformes hay personas que piensan, que sienten y padecen. Es a esa parte humana de su ser a la que dirigimos nuestra acción y no a la que actúa como mera marioneta," concluyó Sanfiorenzo.

Los colectivos de resistencia, tras efectuar el acto programado, se retiraron con la promesa de continuar haciendo actos similares para despertar la conciencia y la sensibilidad de los soldados apostados como fuerzas de la seguridad militar. "Estamos dándoles una oportunidad más para que se vayan de esta Isla y nos dejen vivir en paz. Esperamos que la sepan aprovechar," sentenció uno de los encapuchados antes de desaparecer entre la maleza.

Mientras los militares intervenían con los maniquís desobedientes, uno de los encapuchados leía en voz alta esta adaptación de la declaración de independencia. Los militares permanecieron en la zona hasta que, una vez leída la declaración, nos retiramos.

Declaración de Independencia de los Estados Unidos - 4 de julio de 1776 (Adaptación a Vieques – 4 de julio de 2001)

Vieques, PR - Cuando en el curso de los acontecimientos humanos se hace necesario para un pueblo disolver los vínculos políticos que lo han ligado a otro y asumir entre las naciones de la tierra el puesto separado y la posición igual a las que las leyes de la Naturaleza y el Dios de esa Naturaleza le dan derecho, un justo respeto al juicio de la humanidad exige que se declaren las causas que lo impulsan a la separación.

Sostenemos como evidentes estas verdades: que todos los hombres son creados iguales; que son dotados por su Creador de ciertos derechos inalienables; que entre éstos están la Vida, la Libertad y la búsqueda de la Felicidad; que para garantizar estos derechos se instituyen entre los hombres los gobiernos, que derivan sus poderes legítimos del consentimiento de los gobernados; que cuando quiera que una forma de Gobierno se haga destructora de estos principios, el pueblo tiene el derecho a alterarla, reformarla o abolirla e instituir un nuevo gobierno que se funde en dichos principios, y a organizar sus poderes en la forma que a su juicio ofrezca las mayores probabilidades de alcanzar su Seguridad y Felicidad.

Cuando una larga serie de abusos y sucesivas usurpaciones, dirigidas invariablemente al mismo objetivo, demuestra el designio de someter al pueblo a un despotismo absoluto, es su derecho, es su deber, derrocar ese gobierno y establecer nuevos resguardos para su futura seguridad. Tal ha sido el paciente sufrimiento de esta colonia y en particular de su isla municipio de Vieques; tal es ahora la necesidad que nos obliga a exigir la inmediata retirada de la Marina de guerra norteamericana y la incondicional devolución de estas tierras a sus naturales habitantes y legítimos dueños, los viequenses. La historia del actual dominio militar sobre esta isla es una historia de repetidos agravios y usurpaciones, encaminados todos directamente hacia la progresiva destrucción de su naturaleza, sus recursos vitales y su medio ambiente, así como al lento y doliente genocidio de los seres humanos que habitan en ella. Para probar esto, sometemos los hechos al juicio de un mundo imparcial:

1. Antes de la invasión militar en la década de los 40 la población en esta isla era de más de 30 mil habitantes. Hoy, en los albores de un nuevo milenio, apenas se aproxima a los 9 mil.
2. La Marina de guerra ocupó y usurpó más de dos terceras partes de esta Isla, forzando la emigración masiva y deteniendo así el desarrollo económico, social y cultural.
3. Efecto incuestionable de las maniobras bélicas es la alta tasa de mortandad infantil, que excede en un 53% a la del resto de la nación puertorriqueña.

4. Por la misma causa la incidencia de cáncer y enfermedades respiratorias es 27% mayor que en Puerto Rico.
5. La devastación ecológica en la isla de Vieques es una de las consecuencias más terribles ocasionadas por los bombardeos. Las reservas de recursos naturales, como el agua potable, es actualmente inexistente y los abastos de agua son controlados por la Marina de guerra.
6. Los niveles de pobreza y desempleo en Vieques exceden por mucho a los de la Isla Grande.
7. Durante las maniobras bélicas la Marina retiene más del 80% de los mares, por lo que los pescadores se ven constantemente impedidos a realizar sus labores durante las maniobras militares y forzados a salir de pesca a mares extremadamente lejanos.
8. La educación en las escuelas se ha visto incesantemente perturbada, obstaculizada e impedida por los ruidos de los aviones y de las bombas.
9. La tranquilidad de la población se ha perturbado de igual modo por la proximidad de las maniobras y la certeza de saber que los cálculos, al momento de lanzar las bombas, llevan un margen de error muy amplio, convirtiendo así a la población civil en parte virtual del área de impacto además de revivir incesantemente los recuerdo de muertes relacionadas a estos, mal llamados, "errores de cálculo".
10. La ocupación militar de la Isla de Vieques ha traído como efecto la progresiva destrucción de su riqueza cultural y de sus raíces históricas, como se evidencia en la masiva destrucción de los asentamientos arqueológicos.
11. Las maniobras militares y los bombardeos amenazan y asesinan a las especies en peligro de extinción como el pelícano pardo, el carey y el tinglar, que anidan en el área de tiro y bombardeo de la Marina.
12. La destrucción de los ecosistemas, como las formaciones de coral y los manglares, y la brutal contaminación de los depósitos naturales de agua y de las lagunas ya ha ocasionado daños irreparables y efectos irreversibles.
13. La acumulación de desperdicios tóxicos en las playas y acuíferos es cada vez mayor.
14. El encarcelamiento de cientos de puertorriqueños que han arriesgado su libertad para denunciar estos abusos de la Marina de guerra

15. Los abiertos intentos de sabotaje a los procesos democráticos mediante el chantaje y la manipulación, pone de manifiesto ante la mirada del mundo el carácter antidemocrático del poderío de las fuerzas armadas estadounidenses.
16. El empeño y la terquedad en ignorar los reclamos de consenso democrático de nuestro pueblo por la justicia y la paz en Vieques es evidencia contundente del carácter violento e insensible de ese cuerpo castrense.
17. Las evidencias televisadas del abuso físico y el maltrato psicológico a los desobedientes mientras están en cautiverio de la fuerza militar no sólo ignora las estipulaciones de ley reconocidas como derechos humanos entre las naciones del mundo sino que viola la dignidad de nuestro pueblo, de todos los hijos de nuestra patria.
18. Las repetidas e injustificadas agresiones a los manifestantes pacíficos que se oponen a la presencia militar en esta isla así como a la población civil que reside en los predios de los terrenos ocupados por la Marina, al lanzar luces de bengala contra las residencias y vehículos, perdigones de goma y gases lacrimógenos, mantiene en peligro constante la salud, la seguridad y la vida de nuestro pueblo.

En cada etapa de estas opresiones, hemos pedido justicia en los términos más humildes que un pueblo democrático puede hacerlo: a nuestras repetidas peticiones se ha contestado solamente con repetidos agravios. Hemos pedido que se detengan los bombardeos y han contestado con más y más bombardeos. Hemos pedido que devuelvan las tierras y han contestado, alquilando por dinero y combinando maniobras militares con las fuerzas militares de otros países igualmente insensibles a la causa de este pueblo. La Marina de guerra norteamericana pertenece y responde a un régimen de gobierno imperialista, cuyo carácter está así señalado con cada uno de los actos que pueden definir a un régimen tiránico y despótico. Un gobierno que no respeta la voluntad de su pueblo no es digno de ser gobernante del mismo. Un gobierno que viola los derechos humanos y la dignidad de un pueblo que quiere ser libre no merece gobernarlo más. Un gobierno que encarcela a su pueblo cuando este le exige justicia y paz es un gobierno que ha traicionado a su pueblo y que sólo provoca violencia y enemistad.

Ante esta terrible realidad no hemos dejado de dirigirnos a nuestros hermanos norteamericanos. Los hemos prevenido de tiempo en tiempo de las tentativas de su poder legislativo para englobarnos en una jurisdicción injustificable. Les hemos recordado de mil maneras las tétricas condiciones de vida a las que nos hemos vistos forzados a soportar durante más de sesenta años, que son las circunstancias que nos han forzado a emigrar y las razones por las que gran parte de nuestra población vive sin grandes esperanzas, enfermándose y muriendo. Hemos apelado a su innato sentido de justicia y magnanimidad, y los hemos conjurado, sea ya por los vínculos de nuestro parentesco o ya por los lazos que nos unen a todos como seres humanos, a repudiar estos abusos y agresiones, los cuales interrumpirían inevitablemente nuestras relaciones y correspondencia.

Sabemos que gran parte del pueblo que habita Norteamérica, a pesar de la inmensa distancia, no se ha hecho de oídos sordos ante las injusticias que la Marina de guerra acostumbra sobre la isla de Vieques. Debemos, pues, convenir en la necesidad, que establece nuestra separación y considerarlos, como consideramos a las demás colectividades humanas: enemigos en la guerra, en la paz, amigos.

Por lo tanto, el pueblo de Puerto Rico, convocados en el llamado de conciencia y solidaridad, y apelando al Juez Supremo del mundo por la rectitud de nuestras intenciones, en nombre y por la autoridad del buen pueblo de Vieques, solemnemente hacemos público y declaramos:

1. Que Vieques es Puerto Rico, por naturaleza y legítimo derecho y que debe ser libre para elegir por voluntad propia, sin amenazas ni hostigamientos de la fuerza militar, su porvenir;

2. Que Vieques queda libre de toda lealtad a la Marina de guerra norteamericana y al gobierno que la rige, y que toda vinculación política entre esta Isla municipio y el ejército estadounidense queda y debe quedar totalmente disuelta;

3. y que, como pueblo de una nación amante de la libertad, tienen pleno poder para hacer la guerra, concertar la paz, concertar alianzas, establecer el comercio y efectuar los

actos y providencias a que tienen derecho todos los pueblos que habitan estos tiempos.

Y en apoyo de esta Declaración, con absoluta confianza en la protección de la Divina Providencia y en el poder de la solidaridad y la conciencia popular, arriesgamos nuestras vidas al convertirnos en escudos humanos ante los bombardeos, y empeñamos nuestra libertad dando cuerpo a nuestras palabras en actos de desobediencia civil a las leyes de su imperio y sometiéndonos a la arbitrariedad de sus tribunales y a las malintencionadas, excesivas y ridículas penas impuestas en complicidad por la voluntad y el capricho de sus jueces.

Alternativas de protesta, resistencia y lucha

Por **Gazir Sued**

"La Paz no es la ausencia de tensiones,
sino la práctica de la justicia."
Gandhi

...la solidaridad con las causas justas, cuando se manifiesta con toda intensidad, no reconoce fronteras. Así, pues, según los principios que rigen nuestros actos de resistencia y lucha ante la injusta y devastadora presencia militar en Vieques, hemos llevado el mensaje fuera del territorio inmediato de la Isla Nena.

La desobediencia civil, como modo de resistencia y lucha, no tiene una forma uniforme de llevarse a cabo. Tampoco tiene límites precisos establecidos ya en algún panfleto o por alguna figura reconocida. Hay mil ejemplos históricos que podemos seguir y personas que podemos emular, es cierto. Pero la desobediencia civil no está cerrada a lo que ya ha sido, como tampoco está reconocida bajo nuestro sistema jurídico como un derecho de la gente, mas sin embargo sí es castigada por la ley del Estado y sus gobiernos. Pero hay una ley superior que recorre los espíritus democráticos de nuestra era, que es la ley de la conciencia; y la conciencia, convertida en acto, es el primer paso para hacer justicia.

En el mes de junio del 2001, un grupo de estudiantes y amigos solidarios de los prisioneros políticos por Vieques, sorprendieron una madrugada la seguridad del Fuerte Buchanan, acostándose frente a la entrada principal.

Durante los desalojos de mayo un grupo de manifestantes solidarios e indignados se arremolinó en la entrada del centro de reclutamiento militar en Río Piedras. Tras impedir el paso mediante una "sentata" fueron removidos por la policía estatal que, a fin de cuentas, trabaja como seguridad privada de las fuerzas militares.

La desobediencia civil no se aprende en los libros, ni siquiera en talleres dedicados a orientarla y organizarla. Se aprende haciéndola, en el momento de la acción, que empieza desde el mismo instante en que se asume posición sobre algo que se entiende injusto y que está formalmente protegido por la institución represiva de la ley. Puede ser bien planeada y organizada como espontánea; puede ser llevada acabo como un acto de insumisión y protesta colectiva o mediante una acción solitaria.

Además de grandes concentraciones, marchas o piquetes, es posible capturar de otros modos la atención de los medios de comunicación y, consecuentemente, del pueblo. La intención es, además de llevar el mensaje, los reclamos o la denuncia, servir de ejemplo de que cualquiera puede hacerlo. Es gente normal y corriente, estudiantes, maestros, trabajadores, desempleados, profesionales, artistas, religiosos, políticos, gente común, gente de pueblo, quien puede hacerlo.

Mientras la Marina roba toneladas de agua del Río Blanco de Naguabo, las comunidades que se suplen de sus abastos se han visto muy afectadas. Hasta que un buen día, personas de la comunidad civil, decidieron bloquear la salida de agua. Pero, como ya es costumbre, el Tribunal Federal determinó a favor de la Marina y el gobierno local puso a su disposición la fuerza policial.

Siempre ha habido razones y motivos que sirven de excusa para quedarse de brazos cruzados y no hacer nada. Todos tienen responsabilidades que cumplir: los hijos con sus padres, los patronos con sus empleados, los maestros con sus estudiantes, los estudiantes con sus tareas, los padres con sus hijos. Pero eso no puede ser una excusa para dejar de hacer. A fin de cuentas, saturados de pretextos y genuinas responsabilidades, así nunca habría nadie que diera la cara cuando hay que hacerlo. Y esto, sin duda, puede frustrar a algunos. Pero siempre hay actos que se pueden llevar a cabo, sin mucha gente ni costos significativos, aunque siempre con los mismos riesgos. Si todos se sientan a esperar a que otro haga lo que cualquiera pudo haber hecho, nadie hará nada, como dice el proverbio. Sólo con un poco de imaginación, algo de planificación y, sin duda, mucha voluntad y determinación.

...durante la Regata 2000, en la bahía del Viejo San Juan, Amig@s de Vieques y Amigos del MAR subimos a una torre de construcción y colocamos la bandera de Vieques y las pancartas que anteriormente habíamos usado en el vertedero. La lluvia dificultó el acto. El viento nos desgarró las pancartas.

Y es que no siempre nos han salido bien las cosas. Las ocupaciones de los andamios del vertedero, de la torre de la Universidad, del Capitolio, de la Estatua de la Libertad, son sólo una parte de nuestras historias. Uno de los días de concierto de Ricky Martín, durante mediados de febrero en el 2000, por ejemplo, bajamos del campamento en Vieques para tirar las pancartas desde los andamios de la tarima. Tras varias horas de intento, logramos burlar la seguridad privada, estatal y municipal, del Estadio Hiram Bithorn y nos colamos tras bastidores. Justo antes de comenzar el concierto ya estábamos en lo alto de la tarima, aguardando el momento oportuno para lanzar las pancartas y comunicar el mensaje de Vieques. En ese instante la guardia de seguridad, sorprendida y muy malhumorada, mientras nos gritaba que bajásemos de ahí, empezó a subir los andamios para bajarnos. Abajo y entre nuestros pies había un inmenso arsenal de pirotecnia listo para encenderse al comienzo de la función. La decisión no fue fácil, o lanzábamos las pancartas o nos íbamos frustrados (o quizá achicharrados) del lugar. Ya estábamos allí; se veía con claridad un mar de personas que presenciarían el acto pero, en verdad, ¿valdría la pena el riesgo? Decidi(mos) bajar y nos sacaron a empujones del lugar. Otro día será...

Y tanto parecía ser la mala racha que, en febrero también, el día de la Gran Marcha que se realizó pasando por el expreso las Américas, tantas vueltas dimos para llevar a cabo el acto de las pancartas que el tiempo nos paso de lado y burlándose de nosotros, ya extenuados, se nos acabó. Tratamos a última hora de tirarlas desde lo alto de los edificios del área, recorrimos uno por uno cargando las inmensas pancartas y al final no pudimos hacer nada. En realidad tampoco era necesario. La marcha fue un éxito. Eso que nos valga para consolarnos.

Recientemente, cuando se celebraba el juego inaugural de béisbol de las Grandes Ligas en el mismo estadio, estudiamos la posibilidad de entrar al campo de juego e interrumpirlo con carteles alusivos a la causa viequense. El plan era perfecto, sólo que esta vez tampoco logramos hacerlo. La seguridad era extrema, tanto privada como estatal, municipal y encubierta. Lo que no sería del todo un problema pues ya teníamos una idea de cómo entrar al lugar. Pero requeríamos de bastante gente para hacerlo: unos ya estarían adentro "nebuleando" para distraer la atención de la seguridad interna, otros se concentrarían en un piquete cercano a las paredes exteriores del estadio. Cuando se diera la señal, las personas escogidas, sobre todo por virtudes físicas, saldrían dispersos de entre la multitud en piquete y atravesarían el cordón policial para brincar el muro. De ahí, a toda velocidad, quienes lograran hacerlo sin ser detenidos, habría que correr hasta la próxima verja que separa los estrados del campo de juego, brincarla también y seguirlo hasta el medio del campo. Todavía pienso que era posible, pero no conseguimos gente suficiente. Además, ya una emisora radial había anunciado que se esperaba un acto como tal, e incluso dio a entender que Tito llegaría en paracaídas. Y, a modo de confesión, lo consideramos. Pero, más que arriesgado, era demasiado costoso. La prensa internacional estaba en el lugar y, sin más, perdimos la oportunidad. Pero no era imposible hacerlo. Ya un grupo de amigos boricuas en New York lo habían hecho el día después que los militares nos desalojaron de Vieques...

El 5 de mayo, en medio de un juego de pelota en el Yankee Stadium en NY un grupo de compañeros interrumpió el juego para llamar la atención sobre la situación en Vieques. Héctor Rosario fue uno de ellos.

Además, Miguel Marrero (arriba), Juan Antonio Casañas, Freddie Marrero y Carmen Ana Dávila lograron interrumpir el juego de pelota y, con el acto, denunciar los desalojos y reclamar la salida de la Marina de Vieques.

Para principios del mes de junio, días antes de la parada puertorriqueña en NY, otros compañeros se encadenaron a un monumento en el corazón de Wall Street.

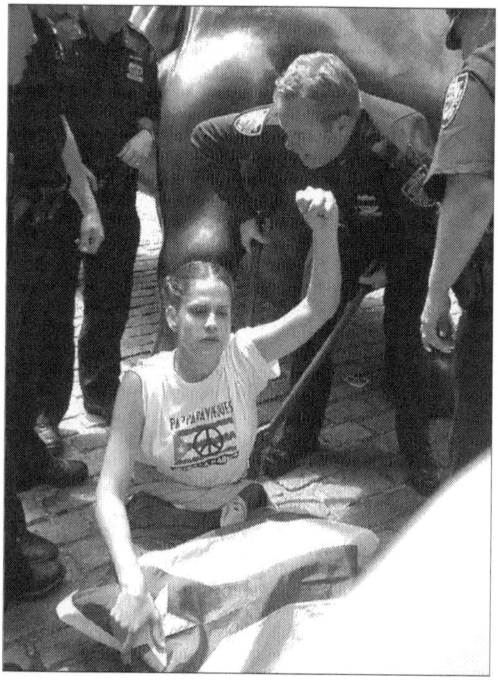

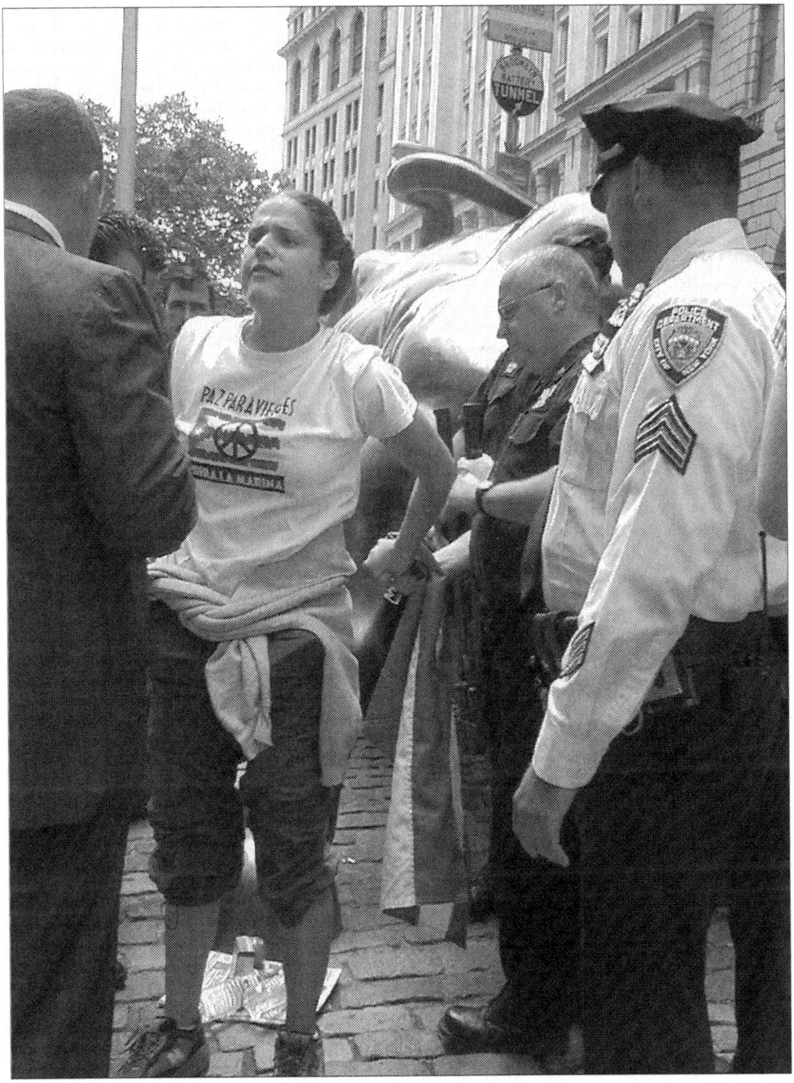

Maricruz Badía fue una de las activistas que resultó arrestada por el acto.

En Washington, frente a la Casa Blanca, se han llevado múltiples manifestaciones por la causa de Vieques. Algunos se han encadenado a las verjas y por ello han sido arrestados.

Héctor Rosario (izquierda) hizo un ayuno de 8 días frente a la Casa Blanca, exigiendo la atención del Presidente Clinton y el cese de los bombardeos en Vieques.

Después de la parada boricua de New York, a mediados de junio del 2000, después de hacer varias presentaciones del documental en esa ciudad, fuimos a Washington a solidarizarnos con el compañero que permanecía ya por varios días en ayuno.

Y es que la solidaridad y apoyo a los compañeros que se sacrifican es de gran importancia. Aunque ejecuten solitariamente sus acciones, la presencia de gente que los anime es, en ocasiones, la mayor energía para mantener activo el ánimo de resistencia.

Juan Antonio Casañas, activista boricua en NY, en solidaridad con Héctor Rosario.

Irmarilis y Camila fueron arrestadas en las Naciones Unidas en el mes de junio del 2001 por participar en una "sentata" como demostración de protesta por el encarcelamiento de los desobedientes durante los bombardeos de mayo. Ese mismo mes el Comité de Descolonización de la ONU aprobó por consenso una resolución en apoyo a la causa de Vieques.

Pero resistir pacíficamente no quiere decir estar dispuesto a soportar sin más los abusos o las agresiones. A nadie debe sorprender pues no debe haber quien no esté consciente de que la fuerza bruta y la represión policial son parte de la vida cotidiana en estos tiempos. Hay que estar alerta y prepararse para ello.

Los estudiantes universitarios prepararon escudos de madera para protegerse de la brutalidad policíaca, cuando salieron a protestar al fuerte Buchanan por los desalojos de mayo.

Seguridad contra gases lacrimógenos

Un modo de brutalidad habitual entre las fuerzas represivas de los gobiernos es la utilización de gases lacrimógenos. Sin ninguna consideración los lanzan sobre los manifestantes con el fin de dispersarlos e intimidarlos y ¿por qué no?, de satisfacer su sed de agresión y violencia. Ante ello debemos estar preparados.

Un activista boricua se protege de los gases lacrimógenos.

-Trata de conseguir máscaras de gas. Las venden en las tiendas militares o puedes conseguirlas por Internet.

-Si no tienes dinero no importa. Consigue unas gafas cerradas, como las que se usan en los laboratorios o las que se consiguen en las ferreterías.

-Lleva contigo siempre un pañuelo o un trapo empapado en vinagre o jugo de limón y cúbrete la nariz y la boca. Esto ayuda a contrarrestar los efectos de los gases.

-No uses vaselina.

-No te desesperes. Si te afectan los gases muévete del área y procura aire fresco.

-Consigue agua para enjuagarte.

-Haz lo mismo si rocían spray de pimienta.

-Ayuda a los demás.

Tratamiento Seattle

-Consigue una botella de plástico, que sea fácil de abrir y cerrar.

-Añade de 10% a 15% de aceite mineral o vegetal.

-Llena el resto con agua.

-Añade una cucharada con líquido de fregar.

-Menea la botella hasta que se mezcle todo parejo.

-Ten una segunda botella de agua para enjuagarte la solución.

-Aplica la solución con un paño o directamente en la piel afectada. ¡Cuidado con los ojos!

-Enjuágate con agua.

Cómo prepararte para la desobediencia

Si decides hacer desobediencia civil, recuerda que estás asumiendo una responsabilidad muy grande sobre tu persona. La desobediencia es un acto político, de conciencia individual, y conlleva ciertos riesgos. Estos riesgos pueden ser calculados y, si te organizas y preparas bien puedes minimizar sus efectos. Puedes hacerlo completamente solo y nadie puede impedirlo, es verdad. Pero es más conveniente, por razones obvias, tratar de coordinarlo con otras personas en quienes puedas confiar. Y recuerda, confiar no quiere decir que dejes de ser tú mismo al momento de actuar.

Parte de tu responsabilidad es, si trabajas en grupo, mantener firme la posición acordada en grupo. Si en el momento decides cambiar de parecer, procura en lo posible no afectar o poner en riesgo a los demás. Piensa siempre: todos para uno, uno para todos.

Es importante que no te conviertas en una carga para los demás. Por eso es importante que te prepares lo mejor posible. Si crees que por una u otra razón no puedes realizar el acto a plenitud confíalo a tus compañeros, para que tomen en conjunto las precauciones necesarias. Por ejemplo, si tienes problemas de salud o si tu condición física no es estable. No te comprometas a hacer lo que no puedes. Sé honesto sobre todo contigo mismo.

Si necesitas algún medicamento llévalo siempre contigo. Un estuche de primeros auxilios es esencial (curitas, pinzas, agua oxigenada, alcohol, ungüento antibiótico para los golpes, las picadas de insectos o posibles infecciones, protección solar y algo contra los mosquitos), fósforos, etc.

Consigue tus propias provisiones y no dependas de los demás. Siempre es preferible tener para los demás que depender de ellos.

La ropa que uses es de mucha importancia. Si planeas llegar al área de tiro por tierra, el calor es sofocante y las bayahondas son peligrosas. Trata de conseguir ropa adecuada al terreno: como la ropa de camuflaje militar, guantes, gorra o sombrero y algo para calentarte en las noches. No lleves ropa con colores llamativos. Trata de llevarte una capa por si llueve y lo que lleves de ropa adicional envuélvelo en bolsas de plástico.

Consigue protección para los ojos. Una mochila cómoda y práctica. Usa botas, zapatos o tennis fuertes y cómodos. No lleves nada de valor ni documentación personal. Puedes perderlo todo. Lleva comida seca y toda el agua que estimes necesaria. Es lo más importante. En las veredas no dejes rastro y, no tires basura.

Lleva algo de pimienta para rociar en las veredas. Esto ayuda a despistar a los perros.

Es importante que el grupo tenga una brújula, que identifiquen previamente las coordenadas y, si es posible que estudien el área con un mapa. Debes tener una linterna, aunque debes ser cautelosos cuando la usas (puedes adaptarle una micas de plástico de colores para minimizar la intensidad de la luz y no delatar tu ubicación).

Cuando estés preparado compara con tus compañeros y ayúdalos a verificar que todos tengan todo lo que hace falta.

Si tienes diferencias serias entre los miembros del grupo tienes dos opciones: o las resuelves o las pospones. Recuerda: si no puedes bregarlas a tiempo retírate de ese grupo y busca otro.

Para organizar la resistencia

Cuando lleguen al área es preciso que encuentren un lugar seguro donde permanecer ocultos. Es importante que traten de organizar un campamento donde puedan dejar las provisiones y descansar. Para detener los bombardeos no es necesario dejarse arrestar del primer movimiento. Recuerda, para que los militares sepan que hay gente "adentro" no tienen que verte. Pueden dividirse en parejas o pequeños grupos y hacer muchas cosas. Por ejemplo: lanzar luces de bengala, fuegos artificiales, hacer fogatas, poner banderas, hasta volar chiringas. Lo que vayas a hacer debes planificarlo de ante mano, aunque el espacio está siempre abierto para la improvisación.

Es bien importante documentar los actos que se lleven adentro. No se puede depender de que te busquen en lancha. Lleva cámaras desechables y aprueba de agua. Si puedes, arriésgate y lleva cámara de video. Pero tienes que lograr salir nuevamente. No es fácil pero es posible, si tomas las medidas de precaución necesarias, administras bien tus provisiones y tienes la resistencia física para lograrlo.

Lleven buen equipo de comunicación. No utilicen demasiado el celular porque pueden rastrear la llamada. Traten de mantener al tanto de su situación a algún contacto "afuera". Es importante tanto por su propia seguridad como para la lucha que los medios noticiosos se enteren de cualquier incidente o acto.

Si los militares los ven y van a intervenir, traten de escapar. Si es inevitable la intervención, traten de comunicarse inmediatamente con su contacto en el exterior y permanezcan tranquilos.

Qué hacer cuando te arresten

...y es que siempre es posible que te sorprendan en el intento. Cuando vengan a intervenir contigo recuerda:

-No te pongas nervioso ni hagas nada que les de motivo para agredirte o maltratarte.

-Si te hostigan o te insultan no respondas agresivamente. Te están tratando de provocar para justificar hacerte daño.

-Trata de no quedarte nunca sol@.

-Recuerda que los soldados están nerviosos y asustados, que les han metido musarañas de prejuicios en la cabeza y eso puede ser lo más peligroso. Por eso, si te amenazan con echarte encima los perros no te asustes.

-Si no puedes escapar o decides dejarte "coger" puedes optar por no cooperar en lo absoluto. En tal caso siéntate y que ellos hagan el resto.

-Para ello debes estar consciente que durante el proceso pueden maltratarte o toquetiarte para registrarte. No resistas violentamente, pero cuídate y protégete.

-Siempre mantente pendiente del trato a los demás compañeros.

-Si quieres hacerlo, puedes tratar de ganarte sus simpatías tratando de sensibilizarlos sobre lo que pasa en Vieques y los efectos de los bombardeos. También dentro de los militares, a veces habita una persona... Pídeles lo que necesites, agua, comida, ir al baño, tus medicamentos, protección solar, lo que sea. No pierdes nada con intentarlo.

-Cuando te esposen, asegúrate que no te afecte la circulación o no te cortes. Exige que no las aprieten excesivamente.

Conoce tus derechos

Si te arrestan o te aprisionan recuerda:

-Se supone que te lean tus derechos, aunque por lo general no lo hacen.

-Tienes derecho a permanecer callado. No tienes que contestar ninguna pregunta. Incluso cualquier cosa que digas o comentes entre tus compañeros puede ser usada después en tu contra.

-Tienes derecho a contactar un abogado.

-Trata de memorizar los nombres y los rostros de quienes intervengan contigo, sus uniformes y cualquier otro detalle que pueda servir para tu defensa en el tribunal.

-Tienes derecho a hacer una llamada telefónica. Memoriza números de teléfonos de algún contacto (abogados, familiares, amigos).

-Tienes derecho a que te lleven ante un juez lo antes posible. Sin embargo el proceso puede tomar horas largas e incluso hasta varios días. Siempre es posible que después de sacarte de sus jaulas en la base militar te lleven directamente a prisión, como suele suceder en los fines de semana. Ahí sigues teniendo los mismos "derechos". Pero pueden tratar de hacerte la vida imposible.

-Ya en la prisión es un requisito formal de la institución penal ficharte (tomar tus datos personales). Es decisión tuya hacerlo o no. Puedes decidir identificarte frente al juez, por ejemplo. Pero tampoco tienes que hacerlo, sobre todo si no reconoces la jurisdicción del tribunal federal en Puerto Rico.

Recuerda que para que el juez reconozca tu derecho a fianza debes identificarte, si es acaso que te interesa salir bajo fianza.

Las próximas maniobras militares están pautadas para dar inicio el primero de agosto; apenas dos días después del pueblo viequense celebrar una consulta en la que se espera un triunfo rotundo a favor de la salida de la Marina. El día después de la consulta en Vieques, antes del reinicio de los bombardeos, a Tito Kayak le será leída sentencia en el Tribunal Federal de New York. Nosotros estaremos en Vieques...

Hoy, cientos de personas han sido arrestadas por actos solidarios de desobediencia civil. El tribunal federal, en complicidad con la Marina de guerra norteamericana, ha encerrado a muchos de nuestros compañeros de lucha e impuesto cada vez más severas las penas. Han sido penados por negarse a arrepentirse. Sus ejemplos de valor y sacrificio los seguiremos haciendo valer…

...en mayo de 2003 la Marina de Guerra anunció que desistiría de continuar sus prácticas en Vieques, y poco después fueron transferidos los terrenos al gobierno federal. A pesar de la celebrada victoria, todavía quedaría demasiado por hacer...

Después de Vieques, ¿qué?
¡Ni una vida más para la guerra en Irak![1]

Por **Gazir Sued**

...la experiencia colectiva, política y cultural, de la lucha "nacional" por la desmilitarización de la Isla Nena no se limita a una reserva exclusiva para la memoria local, pues simbólicamente tiene –o podría tener- una trascendencia significativa a escala global. Habría que pensar la salida de la marina de guerra como una gran victoria moral y política contra la ideología militarista que la soportó durante tanto tiempo, entre tantas mentiras y a pesar de tantas dolencias, crueldades y sufrimientos, y que hoy, con los mismos cantos de sirena, arrastra a tantos a la guerra en Irak. "Pensar globalmente, actuar localmente", es esta una consigna que no debe nunca distanciarse de la pregunta clave que titula este breve escrito: Después de Vieques, ¿qué? Entre las posibles respuestas inmediatas está el fortalecimiento de la crítica radical al discurso legitimador del poderío militar en su conjunto, a sus más diversas ramificaciones por todo el espectro de lo social, desde sus habituales burdas justificaciones a sus más refinadas retóricas de justicia, libertad y seguridad. Se trata, pues, de subir a la escena de lo político el derecho de insumisión de los soldados mismos, como derecho a negarse a participar de una guerra-invasión injusta y cruel; reforzarlos con todos esos espíritus combativos del discurso de la paz, esos que encontraron en las retóricas militaristas las claves sobre las que se hacen día a día los destinos más terribles de toda guerra, de cualquier guerra, en cualquier parte del mundo...

Es una extraña manía la de *nuestros* "representantes" de gobierno imitar por imitar como malos cirqueros los mismos actos del siempre todavía, y repetir entre ellos las tonterías del mismo terrible y aburrido libreto: el escrito para promoción exclusiva del gran espectáculo de la violencia imperial norteamericana. Ya no es ni siquiera motivo de una vergüenza insoportable (porque quizá

---

[1] **"Después de Vieques ¿qué?: ¡Ni una vida más para la guerra en Irak!"**; *Claridad*, 18 al 24 de diciembre de 2003.

exageraría demasiado la seriedad que merecen sus actuaciones). Resulta risible escuchar o leer a los políticos actuales, aspirantes a cargos de gobierno o gobernantes, corear desentonadamente sus voces bélicas, y no poder dejar de imaginarlos al silbido del tío Sam como leales perros domesticados, salivando y moviendo el rabo por galletitas que aparentan huesos, o en fin, por sólo huesos. Me pregunto, para quien tanto se lía por temor a perder sus prometidos favores, ¿por qué no participar de ese otro pedacito de la cultura norteamericana que, como en todas partes del mundo, repudia la guerra y se activa contra ella y contra todo cuanto a ella conduzca? Pero la respuesta a esta pregunta, para no caer en una tremenda ingenuidad política, supondría, de hecho, que en realidad a los gobiernos coloniales les interesa practicar el gobierno de manera alternativa. Realidad ésta que pertenece al registro de las fantasías más genuinas de la mayor parte del pueblo elector. Incluso si sucediera que el Estado de Ley de Puerto Rico fuera incorporado plenamente a los Estados Unidos, ¿por qué no actuarlo de otra manera? En todo caso, sólo si así fuera tendría algún sentido participar de lleno en sus guerras, que sólo entonces, jurídicamente, serían "nuestras guerras". Pero no lo son, y no tendrían nunca por qué serlo. Tal sucede, por ejemplo, con la inconstitucionalidad de la pena de muerte, que se sostiene sobre la base de los mismos principios políticos (trans)nacionales sobre los que podría sostenerse la negativa a participar en una guerra: el derecho a la vida, el respeto a la dignidad de los seres humanos... de TODOS los seres humanos...

Y si queremos seguir siendo "buenos amigos", ¿por qué renunciar a eso que nos diferencia y, sobre todo, a eso que tal vez nos hace un poquito mejores? Si resulta que a nuestro *big brother* le excita abusar de otros, ¿por qué no condicionarle *nuestra* amistad, si es acaso que *nosotros* no queremos ser igualmente abusadores? Y si se equivoca, ¿cuán buenos amigos somos si no le advertimos de sus errores...?

De otra parte, no se trata de justificar las razones por las que nuestras juventudes se enlistan en el ejército, como si lo hicieran por el sólo hecho de estar necesitadas económicamente, o manipuladas ideológicamente, y enseguida reprocharlo. Hay soldados puertorriqueños, y no porque se piensen a sí mismos como estadounidenses. Y es que la identidad nacional (pos)colonial se ha construido finamente con las piezas claves del militarismo, que no conoce fronteras nacionales aunque su materialidad no puede pensarse a sí misma fuera de ellas, pues es una creencia global de la que todos los estados de Ley participan de lleno e inculcan, dentro y fuera de los contextos de guerra, como elevado valor democrático y como deber ciudadano irrenunciable. ¡Ni una vida más para la guerra!, debería ser un estribillo publicitario de las campañas políticas de *nuestros* gobiernos. Y no se trata de resolver ante las molestosas incertidumbres de todo tema complejo tomar partido por el menos malo, pues las crueles injusticias del antiguo régimen iraquí no pueden taparse con más sangre y balas, y harto sabido es que tras la invasión militar es esta la suerte más evidente que promete el porvenir...

La experiencia de Vieques puede, sin duda, ayudar a fortalecer una sensibilidad por la vida humana que sólo puede traducirse en hechos concretos mediante acciones contundentes contra la guerra y, sobre todo, contra la ideología militarista sobre la que se sostiene gran parte de lo peor en nuestros (pos)modernos estados de Ley. De lo contrario, triste seguirá siendo cada breve instante en que algún soldado boricua, en alguna calurosa y oscura noche de Irak, mientras se da cuenta que no es en realidad distinta su luna de la luna nuestra, quede ensordecido repentinamente por el estruendoso y mortal golpe de un mortero, y en la misma fugacidad de ese instante se pregunte: ¿qué carajo yo hago aquí?; y enseguida ya no viva más para dar cuenta de ello...

Y saber tan triste o más que ya, en su lugar, pondrá orgulloso nuestro gobierno una tumba más y una, o quizá, dos banderas...

Bieké, ¿pa' su gente?

Algunas perspectivas para animar el porvenir[2]

Por **Gazir Sued**

"Nos dice la ley que debemos obedecerla,
que no podemos hacer lo que ella nos niega…
...pero algo en mi conciencia me insiste que sí, que debo hacerlo.
Si no lo hiciera sólo porque la ley me impide hacerlo,
¿de qué me valdría tener conciencia?..."
(*Anónimo*)

...muy posiblemente este escrito será un relato más de entre los tantos y tantos que se pierden al paso del tiempo, pero, por lo que pueda valer, espero que al menos sirva para reanimar un

---

2 **"Bieké ¿pa' su gente?: perspectivas para animar el porvenir"**; *Claridad*, del 20 al 26 de enero de 2005.

poquito el espíritu de los decaídos y, sobre todo, para recordar que las historias que serán contadas alguna vez serán las que estemos dispuestos a hacer valer con nuestros actos o, por el contrario, las que nunca serán de valor alguno porque no supimos, no quisimos o no nos atrevimos convertir en hechos concretos...

...los fuertes vientos nos hicieron inaccesible la entrada por mar y la suerte, imprevisible como las solidaridades en estos tiempos pero rendida ante nuestras terquedades, nos sonrió y a empujones nos acompañó a cabalgar la espinosa jornada. Siete horas galopamos por rutas laberínticas, en ocasiones haciéndonos camino a machete entre la maleza espinosa, hasta llegar a nuestro destino. La luna, cómplice de tantas aventuras, desertó esa noche como poco antes algunos amigos. La noche fue fría, muy fría, es verdad, pero la ventolera despejó el cielo de nubes para cubrirnos con un inmenso manto de estrellas que parecían lucirse empecinadas en animar nuestro desafío; y las que se daban a la fuga coquetearon con nuestros anhelos hasta adormecernos junto a nuestros cuerpos hincados, algo estropeados y dolidos. Los detalles y demás tropiezos y trajines me los reservaré para la memoria que hoy no interesa hacer de sus lágrimas o alegrías letra escrita...

El sol se dio todo su puesto antes de salir, pero el amanecer devolvió el mar y la tierra tragada por la oscura noche y trajo consigo la Isla que, aunque maltratada y también dolida, nos acurrucaba sonriente con sus caricias como antes hiciera con sus espinas. Izamos la bandera de Vieques y nuestra presencia se hizo resistencia y la osadía un guiño en complicidad por el porvenir... convertimos la vieja estructura militar en símbolo de una lucha aún inconclusa, de una resistencia viva aún entre las sombras que guardan de los castigos del sol la amargura de saberse embriagada por una verdad a medias, o traicionada por una mentira que demasiados beben con el mismo placer que beben una cerveza bien fría en un candente y sofocante día... No, no es por capricho ni por rabieta que la lucha continúa. Nos sobran las razones y con ellas las pasiones, las situadas bajo el semblante de la conciencia...

Harto sabido es que la retirada de la Marina de Guerra Norteamericana de Vieques dejó por saldo una victoria a medias y quizá, peor aún, detrás de los festejos, una inmensa estela de incertidumbre, confusión y frustración. Diría, sin reserva por el atrevimiento, que celebrar esta victoria popular a medias está cargada irremediablemente de ingenuidades políticas y tiene un efecto devastador para el particular porvenir de la Isla Nena. El virtual abandono de los prisioneros de conciencia arrestados después del primero de Mayo, por parte de muchos que celebraron la salida de la Marina de Guerra, fue un primer signo de mal augurio. Hoy se materializa ampliamente en el desentendimiento de amplios sectores, de entre los que destaco a quienes se han adormecido con los mismos cantares de las sirenas que creyeron acallar en su momento. Hay quienes se han acomodado en una ilusión peligrosa, y por pecar de ingenuidad política se convierten irremediablemente en cómplices de una farsa colonial idéntica a todas las farsas coloniales que han adormecido a tantos en nuestro pueblo. La agencia federal *Fish and Wild Life Services* (FWS) representa una afrenta a la dignidad del pueblo puertorriqueño que se desvivió por liberar la Isla Nena de sus abusivos captores.

Legalmente, por Ley imperial, si el gobierno norteamericano estimase necesaria la utilización de las tierras viequenses para prácticas militares lo harían tal y como hicieron hace más de sesenta años atrás: reocuparían las zonas que hoy hemos rescatado de sus garras destructoras y, sin otra justificación que su derecho como propietarios en ley, arrasarían con ellas nuevamente. Ceder las tierras sin reservas al "cuido" de una agencia federal sigue siendo una victoria a medias para el pueblo puertorriqueño, y como tal, demasiado cercana a una derrota avisada que a una victoria real y plena. Pero lo más triste de este cuadro es que el argumento que justifica su jurisdicción viene precisamente de sectores boricuas eñangotaos, que piensan que los puertorriqueños no tienen la capacidad ni de preservar adecuadamente esas tierras ni de procurarse su administración pensadamente. La mentalidad del colonizado se hace evidente cada vez que nos subestimamos como pueblo y cedemos al extranjero la responsabilidad de velar por nuestros propios intereses como pueblo. Hoy se pone de manifiesto nuevamente la herencia del colonialismo en estos trillados argumentos de miedo, fundado en prejuicios y, lamentablemente sobre todo, en intereses egoístas ajenos al espíritu que sostuvo y movió la lucha por la desmilitarización de la Isla Nena...

Es un secreto a voces que las playas prohibidas son visitadas a diario por embarcaciones de ricos, y que la hermosura paradisíaca de las zonas rescatadas queda reservada como privilegio de propietarios de costosos yates. Y no se trata de imponer una restricción prohibitiva a todos sino todo lo contrario, de hacer accesible las playas y terrenos para el disfrute pleno de quien quiera disfrutarlos y gozar la inmensidad de sus cielos abarrotados de las estrellas que las ciudades iluminadas nos han robado, de la naturaleza rehaciéndose de entre los aviones en ruinas y tanques de guerra deshechos, y de las mariposas que adornan las chatarras y demás porquerías abandonadas en el antiguo cementerio militar. ¿Por qué prohibir arbitrariamente la permanencia a unas horas, como si la nocturnidad fuese más peligrosa que los días, o la gente menos que poca cosa, que es lo que implica entre líneas la prohibición? ¿Por qué tratar como delincuentes a quienes quieran contemplar las espectaculares caídas de todos los soles que colorean los atardeceres y las lunas que engalanan las noches y no cesan sus desafíos a las almas más vivas de poetas y cantores...? ¡No! Bieké es y será de quienes hemos luchado por ella, para todos y en todo momento. Es responsabilidad de los puertorriqueños reclamarla como derecho, y en el devenir de estos tiempos exigir la devolución y limpieza sin admitir demoras ni excusas. ¡Quienes rompieron y ensuciaron este pedazo de esta tierra nuestra, que lo reparen y limpien ahora!

La tarea que resta aún es quizá más difícil que sacar a la Marina de Guerra, pues el enemigo se invisibiliza, y a muchos distraídos confunde con sus malabarismos retóricos y a otros tantos entretiene disfrazado de buenas intenciones. La tarea que resta es principalmente la de educar, que es arraigar profundamente en el sentimiento popular los principios que guiaron esta lucha, todavía inconclusa. Las tierras que todavía son objeto de nuestras exigencias no pueden ser entregadas al garete a quienes sólo tienen intereses mezquinos, y no les preocupa explotarlas sin medida. Conservar, preservar, desarrollar inteligentemente, es decir, utilizar sensiblemente, ecológicamente, son las claves de esta educación que se hace urgente en estos días. Reconocernos en estas tierras, identificarnos con ellas, asumir la responsabilidad sobre ellas, es el objeto central de esta tarea educativa. No deben ser entregadas a inversionistas inescrupulosos ni privilegiar el capital extranjero sobre las necesidades reales del pueblo, ni tampoco ceder a los caprichos egoístas de buscones y vela güira puertorriqueños. La Bieké liberada y por liberar no debe pensarse nunca ni mía ni tuya sino de todos, para todos. Con los viequenses comprometidos, pues, nuestro abrazo solidario e incondicional...

Vieques: entre la esperanza y el desencanto[3]

Por **Gazir Sued**

Al margen de la victoria moral que nos representa la retirada de la marina de guerra estadounidense de la isla de Vieques, todavía quedan remanentes de la porqueriza militar y sus regueros bélicos. La antigua zona restringida permanece restringida, y aunque ya no queda rastro del inmenso cementerio de tanques y aviones, quedan montones apiñados de municiones, bombas y escombros que pronto desaparecerán. A simple vista parece que el recogido de basura y "limpieza" general, aunque lentamente, será un hecho. Sin embargo, los daños ecológicos no van a repararse de la noche a la mañana, y los efectos contaminantes continuarán afectando dramáticamente por tiempo indeterminado. Gran parte del terreno natural permanece inhóspito, árido, desértico; la vegetación predominante sigue siendo igualmente hostil a los amagos de vida que se asoman por el área; y los escasos estanques de agua no son reservas naturales sino empozadas de venenos mortales...

Superadas las ilusiones isleñas de celebrar el aparente triunfo, las tierras desocupadas por la marina de guerra pasaron a manos de otra agencia federal, la U.S. Fish and Wildlife Services (FWS), no al gobierno de Puerto Rico. El antiguo perímetro militar sigue controlado por un cuerpo fuertemente armado, y el acceso a la zona, si no viciosamente prohibido, absurdamente regulado. Han puesto letreros que anuncian el nuevo nombre de sus dominios: *Reserva Natural*. Es la fachada habitual de las posesiones territoriales que en lo inmediato no interesan usar para las cosas de guerra, pero el Congreso estadounidense conserva la potestad jurídico-legal de hacerlo cuando le parezca. Así lo hicieron con la isla de Desecheo, que fue designada refugio de vida silvestre y de especies animales y vegetales endémicas, para convertirse en blanco de bombardeos hasta la segunda guerra mundial. Inservible para el negocio militar de la posguerra, fue entregada a los intereses corporativos del complejo biomédico-experimental con

---

[3] **"Vieques: entre la esperanza y el desencanto"**, Revista *80 grados*, viernes, 3 de mayo de 2013. (http://www.80grados.net) ***Versión editada **"Vieques: ilusión y desengaño"**, *El Nuevo Día*, martes, 30 de abril de 2013.

primates no/humanos, hasta que ya no les resultaba rentable el negocio. Tras décadas de abandono, la FWS la reposeyó, exterminó a los primates nativos "invasores" y restringió el acceso por las mismas razones que lo hace ahora en Vieques: la "seguridad humana" y la "conservación" de la "reserva natural". Ahora tumbar un coco es objeto de cuantiosas multas y un matojo recibe más consideración que las personas...

La experiencia y la conciencia histórica nos hacen cultivar la desconfianza, y sabemos que las omisiones voluntarias en los informes oficiales y en los contratos legales también son formas de engañar. A pesar de las razones impuestas para justificar el control y restricción de acceso, las playas de la región son paradisiacas y, de igual modo que en los tiempos en que la autoridad militar las administraba, hoy algunos privilegiados por las autoridades federales tienen acceso irrestricto, atracan en sus yates lujosos y disfrutan a sus anchas sin peros ni molestias.

Y es que una parte de los temores promocionados por la agencia federal para justificar la prohibición de paso, regulaciones arbitrarias y restricción a la libertad de uso civil, son retóricas sin evidencia o fundamentos, meras exageraciones para ahuyentar a los nativos insulares. Hoy sacan de proporción las alegadas amenazas de peligro. Es su forma sutil de manipular la realidad y desanimarnos de celar y reclamar como *nuestras* estas tierras...

Iniciado el mes de marzo entramos a la zona restringida por las mismas rutas-laberintos que hace más de diez años entrábamos a detener los bombardeos. Cabalgamos y andaregueamos la zona como antes lo hicimos; verificamos el estado de los trabajos de "limpieza"; apreciamos la belleza natural y nos dimos rienda suelta a imaginar bien pensada su genuina libertad y su potencia ecológica, económica, académica y recreativa. Subimos al tope del antiguo edificio militar desde donde monitoreaban las prácticas y bombardeos, allí donde murió David Sanes por un fatídico error de cálculo. Y como hicimos antes, y por lo que resta por hacer, otra vez izamos sola nuestra bandera...

Alumbrados por la luna y con el favor de los vientos pernoctamos "ilegalmente" en alguna playa de la zona "prohibida", donde hace doce años habitamos en *desobediencia civil*; en resistencia; contra la ley injusta y por hacer valer nuestros derechos. Las consignas que alguna vez nos animaron siguen siendo tan pertinentes como antes, y para bien sea desempolvarlas: esta tierra es *nuestra*, y no pedimos permiso para disfrutarla. ¡Estas tierras son de tod@s, para t@dos! ¡Entramos y salimos cuando queramos!

Made in the USA
Columbia, SC
21 December 2022

74254058R00212